O PODER DA
AUTORRESPONSABILIDADE

encontrará um
BÔNUS EXCLUSIVO,
não deixe de acessar!

Escaneie o QR code e eleve
sua jornada de conhecimento.

CARO LEITOR,
Queremos saber sua opinião sobre nossos livros.
Após a leitura, curta-nos no facebook/editoragente,
siga-nos no Twitter @EditoraGente, no Instagram @editoragente
e visite-nos no site www.editoragente.com.br.
Cadastre-se e contribua com sugestões, críticas ou elogios.
Boa leitura!

PAULO VIEIRA, PhD

O HOMEM QUE IMPACTOU MAIS DE 20 MILHÕES DE PESSOAS

O PODER DA AUTORRESPONSABILIDADE

A FERRAMENTA COMPROVADA QUE GERA ALTA PERFORMANCE E RESULTADOS EM POUCO TEMPO

Diretora
Rosely Boschini

Gerente Editorial
Rosângela Barbosa

Assistente Editorial
Natália Mori Marques

Controle de Produção
Karina Groschitz e Fábio Esteves

Jornalistas Equipe Febracis
Gabriela Alencar, Iane Parente e
Karoline Rodrigues

Projeto gráfico e Diagramação
Vanessa Lima

Revisão
Leonardo do Carmo

Imagens de Miolo
Tiago Rodrigues Leite

Capa
Pedro Moraes e Vanessa Lima

Impressão
Edições Loyola

Copyright © 2012, 2017 by Paulo Vieira
Todos os direitos desta edição
são reservados à Editora Gente.
R. Dep. Lacerda Franco 300 – Pinheiros
São Paulo, SP – CEP 05418-000
Telefone: (11) 3670-2500
Site: http://www.editoragente.com.br
E-mail: gente@editoragente.com.br

Dados Internacionais de Catálogo na Publicação (CIP)
Angélica Ilacqua CRB-8/7057

Vieira, Paulo
    O poder da autorresponsabilidade : A ferramenta compro-
vada que gera alta performance e resultados em pouco
tempo / Paulo Vieira. – São Paulo : Editora Gente, 2021.
    192 p.

ISBN 978-85-452-0221-9

1. Sucesso nos negócios 2. Sucesso 3. Autorrealização I. Título

17-1803   CDD 650.1

Índices para catálogo sistemático:
1. Sucesso nos negócios 650.1

DEDICATÓRIA

Dedico este livro à minha amada esposa, que, junto a mim, tem construído a Febracis e a possibilidade de impactar milhões de pessoas anualmente com treinamentos, livros, vídeos e cursos. Dedico aos milhares de Coaches Integrais Sistêmicos que temos formado em todo o mundo. Por meio deles, a nossa tecnologia de desenvolvimento humano tem alcançado e transformado outro tanto de pessoas. Dedico também este livro aos meus filhos, Júlia, Mateus e Daniel, que me inspiram e dão uma razão muito maior à minha vida. Além disso, também foi feito pensando em todos os meus alunos e mestres, com quem eu pude, direta ou indiretamente, compartilhar conhecimentos e caminhos e, assim, chegar até aqui.

E, sobretudo, a Deus, que me concedeu e me permitiu ter as crenças e os valores necessários para trilhar essa jornada, que me dão energia e entusiasmo para alçar voos ainda maiores e crescer e contribuir imensamente mais.

*"Transportai um punhado de terra
todos os dias e fareis uma montanha."*

Confúcio

APRESENTAÇÃO

Olá, sou Paulo Vieira e quero agradecer por você estar nesta leitura comigo.

O objetivo deste livro é passar um conceito primal sobre a excelência e a transformação humana. De fato, o princípio ativo de potencialização dos resultados; a chave, a ferramenta para iniciar um grande processo de transformação em tudo que precisa ser mudado em sua vida.

Faça bom proveito e boa viagem!

SUMÁRIO

INTRODUÇÃO 11

CAPÍTULO 1
Como tudo começou? 15

CAPÍTULO 2
Identificando seu estado atual 29

CAPÍTULO 3
O caminho universal
do progresso humano 53

CAPÍTULO 4
Autorresponsabilidade 97

CAPÍTULO 5
Usando metáforas para
mudar a si mesmo 121

CAPÍTULO 6
As seis leis para a conquista
da autorresponsabilidade 135

CAPÍTULO 7
Como usar as leis
da autorresponsabilidade 157

CAPÍTULO 8
Ah, se eu tivesse tido oportunidade........... 163

CAPÍTULO 9
Mudando minha existência
sem mudar as pessoas 171

MENSAGEM FINAL
Confrontando a si e
aos outros com a verdade 179

EXERCÍCIO FINAL
Termo de Compromisso 183

INTRODUÇÃO

POR QUE LER ESTE LIVRO?

Tem-se percebido que pessoas com um elevado nível de inteligência emocional (IE) possuem uma extraordinária capacidade de realizar seus sonhos pessoais e profissionais de maneira equilibrada e consistente. Afinal, ser feliz é possuir as aptidões emocionais necessárias à arte de se conectar consigo e com os outros de maneira harmoniosa, construindo redes de relacionamento e trabalho, confiança, realizações e talentos que, no conjunto, constituem a sabedoria humana.

A inteligência emocional só será atingida quando o indivíduo for capaz de se responsabilizar pelo seu crescimento nas mais diversas áreas da vida, como também de contribuir para o crescimento das pessoas que o cercam. Esse é o maior objetivo deste livro: por meio de temas que combinam competências emocionais e autorresponsabilidade, descortinar as fragilidades e ineficiências do leitor e fazer com que ele assuma total responsabilidade pelos seus resultados, sejam eles quais forem. Em mais de 10.800 horas de sessões individuais de Coaching Integral Sistêmico,[1] pude comprovar essa receita infalível: o ato de se responsabilizar por tudo o que acontece em sua vida traz a certeza de realização e plenitude. E estou disposto a levar para sua vida esse método, essa consciência que aplico em minhas sessões individuais e em meus treinamentos de coaching.

Este livro fará você ver a vida como um barco que precisa navegar para atingir seu

---

1 Coaching Integral Sistêmico (CIS) é uma metodologia criada por mim. Nela, o coaching tradicional é expandido para trabalhar os lados racional e emocional do ser humano. Além disso, o CIS considera que as pessoas são sistêmicas, de maneira que, se uma área da vida está ruim, todas as outras serão afetadas. Falarei um pouco mais sobre isso ao longo do livro.

destino. Para isso, alguém precisa comandá-lo nessa jornada, e esse alguém é você. Apenas você.

De certo que não estamos no controle dos mares, dos ventos, das correntezas ou das tempestades, mas estamos no comando do barco de nossa vida e podemos usar todas essas variáveis a nosso favor. Assim, cabe a cada um decidir em quais mares navegar, quais recursos utilizar e qual rota seguir. Cabe a cada um ajustar as velas e o leme na direção certa; buscar os mantimentos necessários, os mapas e as cartas náuticas que o guiarão de onde está até onde deseja chegar. O melhor de tudo isso é fazer a jornada tão prazerosa quanto a chegada.

Se você é essa pessoa e esta é a sua busca, atreva-se e descubra um mundo de possibilidades e conquistas oferecidas pela autorresponsabilidade! Descubra e desperte todo o poder que existe dentro de você.

QUAIS GANHOS NO CAMPO DA INTELIGÊNCIA EMOCIONAL VOCÊ TERÁ?

De encontro à supervalorização da inteligência racional, a ciência moderna, o dia a dia nas empresas e a prática de vida nos mostram que a inteligência emocional é mais importante do que a cognição, a intelectualidade e o conhecimento. Depois de levar milhares de alunos a aplicar a autorresponsabilidade, posso afirmar que os ganhos no campo da inteligência emocional são incontáveis.

CAPÍTULO 1

COMO TUDO COMEÇOU?

Eram sete horas de uma manhã de setembro de 1997. Quando o despertador tocou, abri os olhos e encarei a dura realidade; mais um dia estava começando, mais um de muitos dias repletos de problemas, carentes de prazeres ou confortos. Era mais uma página da minha vida que estava sendo escrita naquela manhã e, diga-se de passagem, uma vida nada interessante. Naquela época, meus problemas pareciam não ter solução. Quanto mais eu olhava as circunstâncias em que vivia, menos esperança tinha: estava endividado, em processo de divórcio, com um negócio próprio que ia de mal a pior, distante da família e dos amigos, a pressão arterial estava elevada e eu tinha problemas renais. Essa era a minha vida naquele momento.

Indo de encontro à realidade que eu vivia, decidi levantar mais tarde da cama e fingir que tudo estava perfeito e sem nenhum problema. E assim fiz. Tomei meu café da manhã como se fosse um príncipe, cabeça altiva e sorriso no rosto, vesti uma ótima roupa e fui ao shopping. Aquele dia parecia ser diferente: o céu estava mais azul e soprava uma brisa fresca e agradável. Apesar de todos os meus problemas, que eu decidira os negar naquele dia, estava tudo em perfeito equilíbrio. Entrei em uma livraria e comecei a folhear diversas obras, até que me deparei com um pequeno livro vermelho escrito por um respeitado escritor da área de autoajuda, Roberto Shinyashiki. Nele, deparei-me com um texto que falava sobre um mito grego. Foi a partir daquele pequeno texto, num livro de autoajuda, que minha vida começou a mudar de maneira extraordinária. Ali, a minha chave ligou, os faróis se acenderam e comecei a andar; porém, daquela vez, na direção certa. A seguir, reproduzo na íntegra o texto que li naquele dia e compartilho o início da minha nova vida, uma vida extraordinária.

A HISTÓRIA DE SÍSIFO

Um dos personagens mais interessantes da mitologia grega é Sísifo, o rei de Corinto. Ele era tido como o mais esperto entre os homens. Apesar de toda a sua astúcia, ou, talvez, justamente por causa dela, sempre se via diante das situações mais complicadas. Cada esperteza criava novas dificuldades que, por sua vez, pediam novos estratagemas, uma sucessão de saídas provisórias. Certa vez, Sísifo descobriu, por acaso, que Zeus havia raptado Egina, filha de Asopo, o deus dos rios. Como faltava água em suas terras, Sísifo teve a ideia de revelar a Asopo o paradeiro de sua filha, desde que este lhe desse em troca uma nascente. O pai desesperado aceitou de bom grado a proposta, deu a Sísifo a nascente e soube, então, que sua filha fora raptada por Zeus.

Sísifo teve água, mas arrumou outro problema: Zeus ficou furioso com a delação e mandou a Morte buscá-lo.

Confiando na própria astúcia, Sísifo recebeu a Morte e começou a conversar. Elogiou sua beleza e pediu a ela para enfeitar-lhe o pescoço com um colar. O colar, na verdade, não passava de uma coleira, com a qual Sísifo manteve a Morte aprisionada e conseguiu driblar seu destino.

Durante um tempo não morreu mais ninguém. Sísifo, que soube enganar a Morte, arrumou novas encrencas. Desta vez com Plutão, o deus das almas e do inconsciente, e com Marte, o deus da guerra, que precisava dos préstimos da Morte para consumar as batalhas. Tão logo teve conhecimento do acontecido, Plutão libertou a Morte e ordenou que trouxesse Sísifo imediatamente para os infernos. Quando Sísifo se despediu da sua mulher, teve o cuidado de pedir, em segredo, que ela não enterrasse o corpo dele.

Já nos infernos, Sísifo reclamou a Plutão da falta de respeito de sua esposa em não enterrar seu corpo. Então, suplicou por um dia de prazo para se vingar da mulher ingrata e cumprir os rituais fúnebres. Plutão concedeu-lhe o pedido. Sísifo, então, retomou seu corpo e fugiu com a esposa.

Havia enganado a Morte pela segunda vez.

Viveu muitos anos escondido, até que, enfim, morreu. Quando Plutão o viu, reservou-lhe um castigo especial. Ele foi condenado a empurrar uma enorme pedra até o alto de uma montanha, porém, antes de chegar ao topo, a pedra rolava montanha abaixo, obrigando Sísifo a retomar a sua tarefa até o fim dos tempos.

Com esse texto eu me percebi. Comportamentos, até então despercebidos, revelaram-se. Vi que minha vida era um eterno recomeçar, que, apesar de todo o meu esforço e dedicação, quando eu estava prestes a ter alguma conquista, algo acontecia e tudo ia por terra. Percebi que me preocupava mais com o esforço do que com a conquista. De modo sistemático, eu não terminava o que começava. Constatei que minhas atitudes e ações eram intempestivas e sem planejamento, e isso era o que me prejudicava. Entendi, sobretudo, que eu culpava os outros por todos os

FICOU CLARO PARA MIM QUE *tudo aquilo que eu estava vivendo* NOS ÚLTIMOS TREZE ANOS NÃO ERAM FRACASSOS, MAS, SIM, *os resultados das minhas ações e atitudes.*

meus insucessos e desgostos. Ficou claro para mim que tudo aquilo que eu estava vivendo nos últimos treze anos não eram fracassos, mas, sim, os resultados das minhas ações e atitudes. Cada resultado negativo era um alerta de Deus para que eu vivesse de maneira diferente, pensasse diferente. Afinal de contas, compreendi com clareza que eu vinha sendo meu maior sabotador.

Por um lado, fiquei angustiado por reconhecer que, após a adolescência, eu vinha me fazendo de vítima e tendo pena de mim mesmo. Eu, literalmente, me boicotava para chamar a atenção e me sentir amado. Por outro lado, fiquei muito fortalecido e esperançoso, afinal, ficou claro também que eu era o capitão do meu destino, que eu havia conduzido a minha vida àquela situação e que, como o condutor, eu poderia direcioná-la para qualquer outro lugar.

Li o pequeno livro de autoajuda mais quatro vezes em três dias, senti cada frase, chorei cada palavra. Um novo Paulo estava sendo gerado. Pela primeira vez, iniciei uma busca incansável por ajuda e para mudar o único que precisava ser mudado: eu.

Contudo, como sempre digo, o "melhor estava por vir". Certo dia, eu viajava com duas amigas, quando batemos o carro e um poste caiu dividindo o veículo ao meio, de modo que ficamos presos. O combustível estava vazando e os fios do poste faiscavam, foi um momento de desespero, parecia que a morte nos rondava. Nós pedíamos por ajuda às pessoas que passavam, mas elas tinham medo de se aproximar. Depois de muito esforço e sem nenhum auxílio, consegui sair por entre as ferragens, empurrar a porta e tirar a motorista e a outra passageira de dentro dos restos retorcidos do que antes era um carro. Os raios de sol bateram no meu rosto e, só então, eu me dei conta de que nós três estávamos ilesos.

Quem saiu daquele carro em destroços não era o mesmo Paulo. Eu estava renascendo aos 29 anos para uma vida extraordinária. Por ter sobrevivido intacto àquele acidente e ainda ter resgatado as duas amigas, algo aconteceu dentro de mim, como uma voz insistente e maravilhosa que não cansava de dizer que minha vida tinha solução.

Depois de ter consciência de que eu era o meu sabotador, coisas foram acontecendo como que por magia. As pessoas que conheci, os livros que li, os filmes a que assisti e, até mesmo, esse acidente de carro me conduziram a um processo profundo de transformação.

O passo seguinte foi entender o que são crenças[2] e programações mentais. Diversos

---

2 Crenças são as lentes pelas quais enxergamos a nós mesmos e ao mundo. São reflexo da nossa vivência em família, da moral, dos valores e da ética que nos foram transmitidos durante os primeiros anos de vida, porém, também podem ser modificadas ao longo de experiências posteriores. Elas são formadas por repetição ou forte impacto emocional. Toda crença é autorrealizável, portanto, as suas crenças determinam os seus resultados. Este assunto é abordado de modo mais consistente nos livros *O Poder da Ação*, *Fator de Enriquecimento* e *Poder e Alta Performance*.

artigos e livros de neurociência me mostraram que a mente humana é programada e que existem métodos para reprogramá-la. Cito aqui a pesquisadora da Unicamp Elenice Ferrari:

> A plasticidade neural é a capacidade do cérebro de desenvolver novas conexões sinápticas entre os neurônios a partir da experiência e do comportamento do indivíduo. Com determinados estímulos, mudanças na organização e na localização dos processos de informação podem ocorrer no cérebro. É através da plasticidade que novos comportamentos são aprendidos e o desenvolvimento humano torna-se um ato contínuo. Esse fenômeno parte do princípio de que o cérebro não é imutável, uma vez que a plasticidade neural permite que uma determinada função do sistema nervoso central (SNC) possa ser desenvolvida em outro local do cérebro como resultado da aprendizagem e do treinamento.

PELA PRIMEIRA VEZ, *iniciei uma busca incansável por ajuda e para mudar* O ÚNICO QUE PRECISAVA SER MUDADO: *eu.*

Assim, conhecer a história de Sísifo, sofrer aquele acidente de carro e descobrir mais sobre neurociência, isso tudo significou um renascimento para mim. Uma nova fase que começava, depois de treze anos de muitos problemas, humilhações e fracassos. Um ano depois desse renascimento, eu me vi dono de um negócio próspero, casado, com um patrimônio crescente, viajando o mundo inteiro cumprindo minha missão de impactar vidas e desfrutando o sucesso pessoal e profissional.

Eu venci! Aos 29 anos iniciei a minha caminhada para a vitória – caminhada essa que continuo e continuarei por toda a vida. Hoje, meu casamento é ainda melhor do que há vinte anos, também me sinto mais saudável fisicamente (já corri quatro meias maratonas), tenho mais e melhores amigos e a minha empresa – onde eu também aplico e ensino a autorresponsabilidade aos meus parceiros e funcionários – já está presente em todo o Brasil e também em outros países da América do Sul e da América do Norte. Atualmente, consigo impactar milhões de pessoas ao ano com o Método CIS® (Coaching Integral Sistêmico), curso criado por mim e que se tornou o maior treinamento de inteligência emocional das Américas – as turmas mensais chegam a mais de 3.500 pessoas. E o melhor de tudo, minha relação com Deus está mais próxima e mais forte, hoje consigo chamá-lo de Pai – meu Pai.

É esse o convite que lhe faço. Existe um caminho, uma tecnologia, uma metodologia para reprogramar suas crenças limitantes. Venha comigo nessa jornada prazerosa, fazer parte desse grupo seleto de pessoas que decidiram ser melhores para si mesmas e para o mundo também.

Acredite que nada é por acaso. Este livro está em suas mãos para que VOCÊ conquiste uma vida extraordinária e seja inspiração para muitas outras pessoas.

Venha comigo!

CAPÍTULO 2

IDENTIFICANDO SEU ESTADO ATUAL

Tenho feito essas perguntas a milhares de pessoas durante o Método CIS e outros treinamentos que ministro. Agora gostaria de fazê-las a você: Como está a sua vida? Como estão seus sonhos e objetivos? Você tem sido próspero ou limitado? Realizado ou frustrado? E, ainda mais, como será seu futuro se continuar a viver como tem vivido?

A vida é uma trajetória com início, meio e fim. A maioria das pessoas buscam o fim, ou seja, a chegada aos seus objetivos, as conquistas. Mas elas esquecem de duas coisas muito importantes. A primeira é a trajetória, o caminho a ser seguido, que precisa ser tão prazeroso quanto a chegada, ou estaremos sempre adiando nossa felicidade para quando alcançarmos o próximo objetivo. A segunda é o local de partida. Se eu quero ir para a China, preciso saber onde estou hoje, pois, dependendo de onde eu esteja, a rota vai ser diferente. Se eu estiver em São Paulo, a rota será uma;

se estiver em Porto Alegre, outra; se estiver em Londres, outra diferente. O destino pode até ser o mesmo, mas se eu não souber onde estou, vou pegar caminhos errados, transportes inapropriados etc.

Daí a grande importância de saber onde está sua vida hoje, não apenas em linhas gerais, mas em cada uma das áreas. Como nós poderemos definir uma rota, se não soubermos onde estamos? Como eu posso melhorar meu casamento se eu não sei como ele está verdadeiramente? Eu tenho poupança, dívidas, organização financeira? Como eu posso melhorar minhas finanças sem ter a consciência de como elas estão?

Conhecer o próprio estado atual em cada área da vida é o início de toda jornada e de todas as mudanças. Esse é o primeiro desafio e, portanto, é o nosso primeiro exercício.

EXERCÍCIO 1

Como está sua vida hoje em cada uma das áreas? Escreva, pelo menos, duas linhas para cada item.

Familiar:

_____

_____

_____

_____

Profissional:

_____

_____

_____

_____

Saúde:

_____

_____

_____

_____

Social:

_____

_____

_____

_____

Financeiro:

_____

_____

_____

_____

Emocional:

_____

_____

_____

_____

Pare agora durante alguns minutos e, de olhos fechados, reflita com sinceridade sobre a sua existência, sobre suas facilidades e dificuldades. Reflita sobre quem você tem sido.

O que eu trago neste livro é a possibilidade de se tornar alguém diferente e muito melhor de quem você tem sido. Um grande engano da maioria das pessoas é achar que são o que são e, como uma estátua de mármore, continuarão a ser da mesma maneira para sempre, sem a possibilidade de mudanças e de transformações. Tenho brincado com tais pessoas dizendo que elas foram acometidas da "Síndrome de Gabriela": "Eu nasci assim / Eu cresci assim / E sou mesmo assim / Vou ser sempre assim / Gabriela...", como diz a composição de Dorival Caymmi. Seria uma terrível maldição estarmos condenados a não mudar, a sermos para sempre da mesma maneira.

Eu acredito que a nossa essência foi criada por Deus e é imutável, até porque é perfeita, porém a criação que tivemos, a educação que recebemos, os ambientes que frequentamos e a quantidade e qualidade de amor que nos foi dada, tudo isso nos tornou pessoas distantes dos nossos

O PODER DA AUTORRESPONSABILIDADE | 35

sonhos e potenciais – a ponto de nos perguntarmos quem somos. Como já sabemos, podemos ser e viver de maneira diferente do que temos sido e vivido até hoje; podemos ser mais motivados, mais alegres, mais amorosos, mais competitivos, mais vitoriosos, mais entusiasmados, mais felizes, enfim, podemos ser quase tudo o que quisermos. Isso é ser humano, ou seja, exercer de maneira digna o livre-arbítrio que Deus nos deu. Acredite, você pode optar por uma vida muito melhor, mais farta de amor, conquistas e realizações.

EXERCÍCIO 2

Responda às perguntas a seguir com muito empenho, sinceridade e humildade.

1. SER

Quem é você? Escreva sobre seus sonhos, projetos, medos, ansiedades e preocupações.

_____

_____

Um grande engano da maioria das pessoas é achar que são o que são E, COMO UMA ESTÁTUA DE MÁRMORE, CONTINUARÃO A SER DA MESMA MANEIRA PARA SEMPRE, sem a possibilidade de mudanças e de transformações.

2. FAZER

O que você tem feito? Onde tem trabalhado e fazendo o quê? Quais cursos tem feito? Qual atividade física tem praticado? O que vem fazendo em prol de si mesmo, da sua família e do mundo? Você se sente feliz com a vida que tem levado todos os dias?

3. TER

O que você tem (possui) no contexto material? Onde mora? Que carro possui? Quais roupas veste? Possui poupança? Quais são os maiores bens que você possui?

Se, depois de observar essas respostas, você perceber que está tudo ótimo, que é quem gostaria de ser, faz o que gostaria de fazer e tem tudo que sempre quis ter, que não existe nada mais a conquistar, então você não precisa deste livro. Aconselho que o dê de presente a alguém que, de fato, acredite precisar de ajuda.

Para você, que precisa de ajuda, a minha proposta é que você seja **(ser)** uma pessoa diferente, faça **(fazer)** coisas que antes não fazia, e as faça de maneira prazerosa, e, só assim, tenha **(ter)** o que sempre quis ter. É nessa jornada, é nesse mundo mágico que você está entrando agora. Um mundo de possibilidades chamado autorresponsabilidade, um mundo de caminhos e escolhas, uma maneira simples e eficaz de construir uma vida extraordinária.

Para trilhar essa jornada e entender ainda melhor quem você vem sendo e quem deve se tornar, é fundamental avaliar a sua Inteligência Emocional.

De acordo com o psicólogo Daniel Goleman, PhD pela Universidade de Harvard e criador da teoria, a inteligência emocional se divide em dois domínios principais: as competências pessoais e as competências sociais. Então, para continuar a leitura deste livro, é importante que haja autoavaliação em cada uma dessas competências descritas por Goleman, e que você perceba onde, de fato, estão suas maiores demandas em termos de competências emocionais. Depois de ler o livro e fazer os exercícios propostos, você deve voltar para a avaliação a seguir, pontuar novamente cada um destes fundamentos e observar quais foram as conquistas no campo da inteligência emocional após o uso e a prática da autorresponsabilidade.

COMPETÊNCIA PESSOAL

Capacidade de se conectar consigo mesmo manifestando o melhor de si e, desse modo, estando apto a crescer e desenvolver-se de maneira contínua.

Nota de 1 a 2 – Totalmente insatisfatório

Nota de 3 a 4 – Insatisfatório

Nota de 5 a 6 – Regular

Nota de 7 a 8 – Satisfatório

Nota de 9 a 10 – Supera as expectativas

Antes	Depois	
		1. Autoconsciência emocional *Você tem sido capaz de identificar e compreender as próprias emoções, bem como reconhecer o impacto delas na sua forma de agir, de tomar decisões e de se relacionar com os outros? Tem usado suas emoções como aliadas?*

2. Autoavaliação precisa

Você conhece os próprios limites e possibilidades, sem se supervalorizar ou se subestimar? Coloca-se da maneira correta em cada desafio e, sobretudo, é capaz de distinguir uma oportunidade de uma autossabotagem?

3. Autoconfiança

Você tem um sólido senso do próprio valor, capacidade e potencial? É capaz de enfrentar seus desafios de modo seguro e confiante?

4. Autocontrole emocional

Você consegue manter suas emoções e impulsos destrutivos sob controle em momentos de estresse?

5. Superação

Você possui ímpeto para melhorar o próprio desempenho a fim de satisfazer padrões internos de excelência? Acredita que tudo pode ser melhor e que sempre é possível ir além e conquistar algo mais?

6. Iniciativa

Você está sempre pronto para perceber e aproveitar oportunidades, não se deixando paralisar pela zona de conforto ou pela acomodação?

		7. Transparência Seus comportamentos têm sido totalmente fundamentados na honestidade e na integridade? Você tem sido digno de confiança? O quanto as pessoas que o conhecem de fato confiam em você?
		8. Adaptabilidade Você tem se colocado de maneira flexível na adaptação a pessoas com estilos diferentes? Você tem se adequado e flexibilizado em situações diferentes e incomuns?
		9. Otimismo Você sempre busca ver o lado bom dos acontecimentos em qualquer situação?
		Total

Agora você sabe quais competências emocionais pessoais estão mais frágeis. Dessa forma, pode visualizar quais prejuízos vem tendo em decorrência da falta de inteligência emocional.

Vamos a um exemplo. Suponhamos que sua *competência emocional pessoal número 5 (superação)* está com nota 3. Isso é um indicativo de que você poderia estar fazendo e produzindo muito mais, mas não está. Como consequência, sua vida provavelmente carece de realizações e conquistas. Agora, imagine que sua autoavaliação na *competência 3 (autoconfiança)* foi de apenas 4. Isso indica que você tem falhado diante de alguns desafios por insegurança, paralisando-se frente às oportunidades.

Assim, peço que marque todas as competências emocionais pessoais que estão com nota abaixo de 7.

EXERCÍCIO 3

Para cada competência com nota inferior a 7, escreva quais prejuízos você vem tendo. Faça como no exemplo.

Exemplo:

Competência	Nota	Prejuízo
Autoconfiança	4	*Eu me apresentei mal em uma entrevista de emprego por falta de autoconfiança e também não tive coragem de empreender com uma amiga (hoje ela está muito bem no negócio em que não entrei).*

PREJUÍZOS NAS COMPETÊNCIAS EMOCIONAIS PESSOAIS

Competência	Nota	Prejuízo
1. Autoconsciência emocional		
2. Autoavaliação precisa		
3. Autoconfiança		

4. Autocontrole emocional		
5. Superação		
6. Iniciativa		
7. Transparência		
8. Adaptabilidade		
9. Otimismo		

Depois de finalizar esse exercício, é mais fácil perceber quais competências emocionais pessoais precisam de sua atenção. Agora, é hora de analisar as suas competências sociais.

COMPETÊNCIA SOCIAL

Capacidade de se conectar de maneira positiva e harmônica com as pessoas à sua volta e, dessa maneira, contribuir com o crescimento delas.

Nota de 1 a 2 – Totalmente insatisfatório
Nota de 3 a 4 – Insatisfatório
Nota de 5 a 6 – Regular
Nota de 7 a 8 – Satisfatório
Nota de 9 a 10 – Supera as expectativas

Antes	Depois	
		1. Empatia *Você é capaz de perceber as emoções alheias, compreender seus pontos de vista e se interessar de maneira ativa por suas preocupações, com empatia ao que outras pessoas sentem?*
		2. Consciência organizacional *Você consegue identificar e compreender as conexões sociais ao seu redor, sabendo com quem, como e quando deve falar?*

3. Serviço
Você reconhece e busca satisfazer as necessidades das pessoas à sua volta? Você serve, auxilia e colabora sem pedir nada em troca?

4. Liderança inspiradora
Você orienta e motiva com uma visão instigante, conduzindo pessoas a objetivos mais elevados, possibilitando que elas façam o que antes não fariam e cheguem aonde, sem sua liderança, não chegariam?

5. Influência
Você dispõe da capacidade de persuadir e influenciar pessoas para que elas ajam de modo positivo e consistente?

6. Desenvolvimento dos demais
Você cultiva as capacidades alheias por meio de feedback e orientação? Você se preocupa em desenvolver, ensinar e capacitar as pessoas ao seu redor para que sejam mais e melhores do que já são?

7. Catalisação de mudanças
Você inicia e gerencia mudanças, liderando pessoas para uma nova e melhor direção?

O PODER DA AUTORRESPONSABILIDADE | 49

		8. Gerenciamento de conflitos Você se empenha em solucionar divergências entre as pessoas, levando-as à integração, à conciliação, à aceitação e ao respeito mútuo?
		9. Trabalho em equipe Você é capaz de colaborar com o trabalho em equipes de alto desempenho? É capaz de se colocar como membro de uma equipe e, com humildade, dar o seu melhor para contribuir com o grupo e os objetivos dele?
		Total

RELEMBRANDO

Os dois espaços nas tabelas anteriores são para que você, antes de ler o livro, se autoavalie hoje. Além disso, é fundamental refazer a avaliação depois de terminar a leitura deste livro. Para uma avaliação mais completa, é interessante pedir que alguém de sua confiança o avalie nos mesmos critérios. Dessa forma, você perceberá os ganhos que teve no contexto da inteligência emocional e o quanto esses ganhos já são percebidos pelos outros.

Faça o download desta ferramenta no site: www.febracis.com.br/livroauto

EXERCÍCIO

Para cada competência social com nota inferior a 7, escreva quais prejuízos você vem tendo, como nos exercícios das páginas 44-46.

PREJUÍZOS NAS COMPETÊNCIAS EMOCIONAIS SOCIAIS

Competência	Nota	Prejuízo
1. Empatia		
2. Consciência organizacional		
3. Serviço		

4. Liderança inspiradora		
5. Influência		
6. Desenvolvimento dos demais		
7. Catalisação de mudanças		
8. Gerenciamento de conflitos		
9. Trabalho em equipe		

Após essa autoavaliação de inteligência emocional e identificação dos pontos de melhorias, leia todo o livro e faça todos os exercícios com dedicação. Só assim é possível, de fato, mudar o seu diagnóstico atual. A cada capítulo, tenho certeza de que sua vida nunca mais será a mesma (tanto em relação ao seu nível de inteligência emocional, quanto aos resultados de vida).

"Aquele que for capaz de perder uma corrida sem culpar os outros pela sua derrota tem grande possibilidade de algum dia ser bem-sucedido."

Napoleon Hill

CAPÍTULO 3

O CAMINHO UNIVERSAL DO PROGRESSO HUMANO

Não importa a cultura ou a época, a mudança e o progresso humano possuem apenas um caminho, um fluxo. Aqui, vou descrever e explicar cada passo do progresso universal para que você possa trilhar a sua jornada pessoal de mudança, crescimento e conquistas, como na figura da página seguinte.

ETAPA 1: CONSCIÊNCIA

Consciência é a principal característica humana. É a percepção ou entendimento que permite ao ser humano vivenciar, experienciar e compreender os aspectos do mundo que o cerca e também do seu mundo interior. Ela nos permite entender os "porquês", as causas e os efeitos do que acontece em nossas vidas. Possibilita ainda que nos coloquemos corretamente na linha do tempo, isto é, nos faz perceber com clareza que o passado influencia o nosso presente e que o presente influencia o nosso futuro.

FIGURA 1. A JORNADA DO PROGRESSO
HUMANO EM QUATRO ETAPAS

Consciência é nossa parte divina, é o que nos faz perceber e sentir Deus. Costumo dizer que ter consciência é o que nos faz diferentes de um tatu. Explico melhor: há 5 mil anos, vivíamos em tocas e cavernas, da mesma maneira que os tatus. Quando havia chuva ou ameaças iminentes, corríamos para esses abrigos naturais. Hoje, no entanto, os tatus continuam morando em suas tocas, enquanto o ser humano vive em arranha-céus e viaja em aviões supersônicos. Fica a pergunta: Por que o homem cresceu e progrediu tanto e o tatu continua o mesmo? Por que os hábitos humanos, comportamentos, emoção e racionalidade evoluíram tanto?

A resposta está no atributo divino chamado consciência. É ela que nos faz perceber não apenas nosso estado atual como também nos faz questionar o que já existe como certo ou errado, bom ou ruim. É a consciência que nos faz olhar o futuro como um universo de novas possibilidades.

É ela que nos permite a conexão com o mundo e com si mesmo. Em resumo: a consciência é a responsável pelo nosso progresso. O crescimento e o desenvolvimento humano apenas são possíveis se houver a consciência. Para melhorar nossa compreensão, divido a consciência em três níveis ou tipos: **consciência plena**, **consciência relativa** e **consciência disfuncional**.

A **consciência plena** está naqueles que percebem o mundo e a si mesmos de maneira rápida e precisa. São pessoas que conseguem ter uma compreensão adequada e produtiva sobre tudo aquilo que as cerca. Tal percepção as faz protagonizar ações que as levam tanto a crescer como indivíduo quanto a contribuir massivamente com o ambiente ao seu redor. A consciência plena faz dessa pessoa uma forte candidata ao sucesso pessoal e profissional, possibilitando que ela se conecte de maneira produtiva por meio de redes benéficas de relacionamento.

Imagine uma pessoa de bom coração, cordata e serena que, ao ser "fechada" no trânsito, entende aquilo como uma agressão intencional e pessoal e vai em busca do suposto agressor para se vingar da afronta. A intenção é "devolver na mesma moeda", xingar e ser agressivo com o outro motorista. Fica a pergunta: Por que alguém de bom coração e pacífico no trato social se torna, de repente, agressivo e ameaçador? A resposta está na capacidade de interpretação da realidade. O que se manifesta neste caso é a **consciência relativa** e imperfeita, capaz de transformar um pequeno incidente sem vítimas em uma agressão intencional com consequências imprevisíveis. Vamos ajudar essa pessoa usando algumas perguntas estruturadas do Coaching Integral Sistêmico para trazer consciência plena a ela:

1. Essa pessoa que o "fechou" tentou de fato prejudicar você?
2. A "fechada" foi uma ação intencional e direcionada a você?

A *consciência plena* ESTÁ NAQUELES QUE PERCEBEM O MUNDO E A SI MESMOS DE MANEIRA RÁPIDA E PRECISA. SÃO *pessoas que conseguem ter uma compreensão adequada e produtiva* SOBRE TUDO AQUILO QUE AS CERCA.

3. Você, em algum momento, já "fechou" alguém no trânsito por pura imprudência ou distração?
4. Será que aquela "fechada" aconteceu por que aquele motorista desviou de um ciclista imprudente?
5. Será que aquele motorista desviou de um buraco ou um cachorro?
6. Vendo de fora, e de cabeça fria, como você percebe seu comportamento de se vingar do outro motorista com outra "fechada" e gestos obscenos?
7. O que poderia acontecer se o autor da "fechada" fosse alguém perigoso e descontrolado?
8. E se ele for um assassino contumaz?
9. O que poderia acontecer se você levasse a vingança em frente?
10. E se acontecesse o pior com você, como ficaria sua família?

É perceptível que se essa pessoa tivesse uma melhor compreensão de si e do mundo, em outras palavras, se ela tivesse consciência plena, a reação seria muito mais pacífica e equilibrada, sem consequências negativas a ninguém.

Podemos dizer que **consciência plena** é a perfeita consciência, percepção e compreensão de si, do mundo e das causas e efeitos que nos cercam. A **consciência relativa** é uma compreensão limitada, situacional, influenciável e precária da realidade de si e do mundo à sua volta. Pessoas com consciência relativa, tomam decisões sábias em alguns momentos e decisões terríveis em outros. Agem certo com algumas pessoas e errado com outras. Em situações nas quais é necessário se manifestar, se calam, e quando o ideal seria calar, falam e fazem o que não devem. Já a **consciência disfuncional** é uma noção incompleta, irreal e debilitada a respeito de quem é você e do mundo que o cerca. A busca humana deveria ser uma jornada que inicia na consciência disfuncional, passa pela consciência relativa e termina na consciência plena.

O desenho da página seguinte é uma ótima metáfora para explicar os três níveis da consciência humana. Quando a pessoa está no nível mais baixo de consciência, na base da montanha, ela não consegue ver nada, pois está no fundo do vale. À medida que ela sobe na montanha da consciência e atinge um patamar mais elevado, torna-se capaz de ver muito mais distante, porém sua visão é relativa, pois a própria montanha impede que ela veja o outro lado. Sua visão é limitada. Porém, quando se atinge o topo da montanha da consciência, a pessoa passa a ter uma visão total, panorâmica em 360° da realidade. Ela consegue enxergar até o horizonte e perceber até o que está por vir de maneira bem antecipada. Essa pessoa conquistou a consciência plena.

É difícil de reconhecer, mas a verdade é que não existe ninguém possuidor de uma consciência totalmente plena, não há ser humano dono de uma perspectiva perfeita de tudo que existe em si e à sua volta. Ninguém que eu ou você conheça chegou ao topo dessa jornada da consciência. Esse trajeto se torna difícil

FIGURA 2.
OS TRÊS NÍVEIS DA CONSCIÊNCIA HUMANA

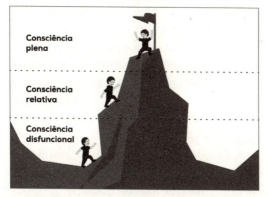

ou demorado por conta de nossas crenças limitantes, nossos valores invertidos, nossos traumas e, sobretudo, da qualidade de amor que recebemos durante a infância. Tais fatores são como verdadeiros obstáculos presentes em nossa escalada.

A **consciência relativa** torna imprecisa a avaliação de nós mesmos e do mundo ao nosso redor, causando sempre prejuízo a alguém. E para que uma pessoa aja de modo disfuncional ou improdutivo basta haver nela uma consciência relativa ou, até mesmo, disfuncional. Nessas duas categorias, basta um estímulo que atinja seus traumas ou que viole seus valores e ela irá despejar em si e no mundo comportamentos e reações improdutivas e disfuncionais. Quando você cura e restaura a consciência, automaticamente está curando a pessoa.

A figura ao lado mostra os resultados das três consciências mediante os estímulos negativos que elas recebem.

FIGURA 3.
ESTÍMULOS NEGATIVOS NOS TRÊS NÍVEIS DE CONSCIÊNCIA

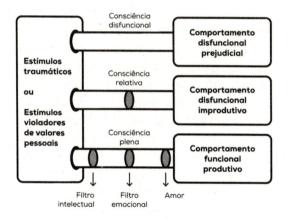

Pela imagem, podemos ver com mais clareza que o nosso comportamento não é determinado somente pelos estímulos (traumáticos ou violadores de valores pessoais) que vivenciamos, mas também pelos diversos tipos de consciência que adquirimos. Nessa lógica, a consciência atua como um filtro, impedindo ou não que esses estímulos afetem nosso comportamento.

Na **consciência disfuncional** não existe filtro, portanto os estímulos sempre irão resultar em um comportamento disfuncional e prejudicial. Já a consciência relativa possui um filtro simples, que pode atuar como filtro intelectual ou emocional ou de amor, "peneirando" parcialmente os estímulos ruins. Por fim, temos a consciência plena, que é a que retém bem mais estímulos negativos, pois ela possui três filtros simultaneamente, o intelectual, o emocional e o de amor, resultando em comportamentos funcionais produtivos.

A **consciência disfuncional** pode ocorrer de maneira permanente, em pessoas mentalmente enfermas, ou de maneira temporária, em pessoas expostas a um forte estresse ou a uma grande dor. Nos grandes centros urbanos, é comum en-

O PODER DA AUTORRESPONSABILIDADE | 67

contrar pela rua um mendigo que acredita ser um rei, segurando uma vassoura velha como a um cetro real e usando uma coroa de papel alumínio e papelão na cabeça. Essa pessoa tem a consciência completamente debilitada a respeito de quem é e do mundo à sua volta.

Contudo, também é possível que pessoas comuns, quando acometidas por grandes traumas ou dores, percam momentaneamente a consciência e tenham comportamentos totalmente extremados e nocivos. Presenciei o caso de um aluno bem próximo a mim. Ele perdeu a filha em um acidente de carro, no qual sua esposa era a motorista. Após o enterro, ele foi deixar alguns parentes no aeroporto e, não por acaso, eu estava chegando de viagem e esperava meu motorista na calçada do desembarque. Quando, de repente, vejo esse amigo passar por mim com passos rápidos, os olhos fixos e arregalados. Ele não me viu. Corri ao seu encontro, segurei-o pelo braço e olhei nos seus olhos. Ele parou, respirou fundo e foi recuperando a consciência, logo me abraçou e começou a chorar.

Eu mantive o abraço silencioso até que ele se acalmasse. Em seguida, ele me confessou: "Eu estava indo matar o motorista daquele ônibus de turismo". Fitando-o nos olhos, fiz duas perguntas: "O que você está fazendo com essa arma e por que você ia matá-lo?". Foi quando ele me explicou que carregava uma arma no carro por ser representante comercial e passar boa parte do tempo nas estradas. Naquele dia, quando ele estava ajudando a tia idosa a atravessar a rua, havia um ônibus parado sobre a faixa de pedestre. Meu amigo apontou para a faixa, mostrando ao motorista que o ônibus estava parado no lugar errado. O motorista, sem consciência de respeito ao próximo, passou a xingá-lo e a dizer a ele que cuidasse da própria vida.

Meu amigo estava sob forte trauma e intensa dor, afinal, estava retornando do

O PODER DA AUTORRESPONSABILIDADE | 69

enterro da filha. Foi fácil perder a consciência de quem ele era e do mundo ao seu redor e partir para uma ação extremada. Mas, graças a Deus, eu estava ali naquele exato momento e pude trazer-lhe lucidez e impedir que o pior acontecesse.

"Libertei mil escravos. Poderia ter libertado outros mil se eles soubessem que eram escravos." Essa frase foi dita por Harriet Tubman, abolicionista norte-americana, na década de 1860. Em outras palavras, o que ela está dizendo é que já libertou muitos negros escravizados nos Estados Unidos, e poderia ter libertado muitos outros se eles tivessem consciência plena e percebessem que eram escravos e que isso não era correto, justo ou bom. Agora, olhando para sua vida, me responda: Quantas pessoas você quis ajudar e elas não aceitaram porque não tinham consciência dos próprios problemas? Quantos alcoólatras não buscam tratamento porque não possuem consciência plena de que são adictos? Quantas pessoas estão se relacionando com quem as maltrata, numa relação disfuncional e injusta, porque não tem consciência de que aquele relacionamento é doentio? Quantas mães vivem à margem da dedicação materna, expondo seus filhos à dor, ao abandono e à solidão e sem ter consciência do mal que estão fazendo a suas crianças?

É fácil compreender que nenhuma mudança intencional acontecerá sem, antes, haver a consciência dos resultados atuais e de como será o futuro se você continuar com os mesmos comportamentos. Os exercícios do capítulo 2, sobre Estado Atual, tinham o objetivo de começar a trazer ao leitor a consciência sobre como está sua vida hoje, quem você é e quem deve se tornar.

No treinamento Método CIS® dedico um dia inteiro de curso apenas ao binômio "consciência e ciência". Busco trazer aos participantes a consciência de quem eles são, de como têm vivido e também de um mundo de possibilidades que eles podem viver. Também trago consciência de todo o arcabouço científico que está nas entrelinhas e nos fundamentos do curso. Dedico as primeiras quatorze horas de Método CIS® apenas para trazer consciência aos alunos. Tendo conseguido isso, todo o restante se torna muito mais fácil.

Podemos medir a debilidade emocional de uma pessoa pela dificuldade de olhar para si e para o mundo e de ter consciência plena da própria vida. Quanto menor esta capacidade, maior a debilidade e menor a inteligência emocional, em consequência, maiores problemas e menos resultados positivos. Portanto, o primeiro passo para desenvolver a inteligência emocional é adquirir consciência, e você é o único responsável por trilhar essa jornada.

Existem várias maneiras de se conquistar a consciência. A mais comum, infelizmente, é pela dor. É quando uma pessoa vive o prejuízo, as consequências e as

PODEMOS MEDIR A *debilidade emocional de uma pessoa* PELA *dificuldade de olhar para si e para o mundo* E DE TER CONSCIÊNCIA PLENA DA PRÓPRIA VIDA. QUANTO MENOR ESTA CAPACIDADE, MAIOR A DEBILIDADE E MENOR A INTELIGÊNCIA EMOCIONAL.

dores de algo que não conseguiu ver ou, na verdade, não quis tomar consciência. Porém, depois de viver o prejuízo e a dor, e sem ter o que fazer, ela reconhece seus caminhos errados, se arrepende e muda. Vamos chamar esse momento de "cair a ficha". É quando a consciência a invade e as transformações começam a acontecer.

Além da dor, existem mais duas maneiras de conquistar a consciência: uma é pela educação cognitiva e racional, geralmente oferecida pela escola, a outra é pela educação emocional, que começa em casa por meio do amor de pai e mãe (ou pai e mãe substitutos). Olhando para o Brasil, vemos muita falta de consciência e, como resultado, muitos atos nocivos e extremados. Isso decorre de uma educação de base muito ruim e incapaz de levar as pessoas à reflexão e à compreensão de si e do meio em que vivem. Este livro, em seus conceitos, afirmações e reflexões, vai cumprir esta etapa de direcioná-lo a um patamar elevado de consciência, mudanças e progresso.

O QUE IMPEDE ALGUÉM DE TER CONSCIÊNCIA PLENA?

Muitos motivos fazem com que alguém aja sem consciência, causando prejuízo a si e ao próximo. Os dois principais são: falta de empatia e caráter antissocial, vulgarmente conhecido como sem caráter.

Empatia é a capacidade emocional de se colocar no lugar das outras pessoas, percebendo o que elas sentem e ficando atento às consequências que suas ações poderão ter na vida delas, mesmo que não seja uma consequência imediata. Daniel Goleman classifica essa característica humana como uma das competências emocionais sociais. Na prática, ela determina como a pessoa se conectará com os outros. Um pai sem empatia baterá no filho, gritará com ele, irá humilhá-lo e criticá-lo sem perceber toda a dor que estará causando, muito menos as consequências disso na vida da criança. Um gestor sem empatia maltratará seu subordinado com comparações, acusações, grosserias e indiferença, o que, em conjunto, pode até ser chamado de assédio moral. Contudo, mais uma vez, se essa pessoa não tem empatia, todos vão perceber sua forma rude e grosseira, menos ela. As consequências para a empresa são óbvias. Uma delas é a certeza de que esse líder não formará uma time de alta performance. Afinal, que talento profissional está disposto a se deixar liderar por alguém rude e cruel?

Estava ministrando o Método CIS® quando, num dos intervalos, uma aluna me procurou pedindo ajuda. Ela confidenciou que traía seu marido com frequência e com muitos homens diferentes. Tentando não fazer uma cara de espanto, continuei olhando para ela com atenção. Ela continuou: "A questão não é apenas eu trair meu marido. A questão é que, ao chegar em casa, depois dos meus encontros sexuais, eu não sinto culpa, remorso, nem consciência pesada. Olho para meu marido e meus filhos como se nada tivesse acontecido. Por que me comporto assim e não sinto nada?". Chorando, ela pediu minha ajuda.

Ao usar o termo "consciência pesada", ela deixou claro o que estava acontecendo. O problema era uma lacuna emocional na competência "empatia". Ela simplesmente não era capaz de perceber os sentimentos e a dor alheia; em outras palavras, ela não tinha a menor consciência ou capacidade de se colocar no lugar de seu marido ou de seus filhos. Essa lacuna, ou disfunção emocional, ao longo do tempo foi adulterando seu caráter, tornando-a uma mulher promíscua e secretamente vulgar. As "fichas estavam caindo" no Método CIS®, sua percepção sobre si estava sendo descortinada e ela estava tomando consciência de quem vinha sendo ao longo dos últimos anos. Naquele momento, ela estava iniciando a jornada do progresso humano, e a primeira etapa estava sendo cumprida. Ela estava tendo consciência plena sobre seus valores morais, egoísmo, caráter e comportamento.

Porém, mais do que isso, ela se colocou no lugar de seu marido e seus filhos e percebeu como se sentiria caso estivesse na posição deles. Meses depois, encontrei essa aluna em uma viagem internacional com sua família, e ela veio me agradecer dizendo que, depois do Método CIS®, havia se tornado outra pessoa. Ela havia rompido todos os casos extraconjugais e agora percebia os sentimentos do marido e dos filhos, pautando suas ações e reações nisso. Relatou que estava vivendo a melhor fase de sua vida, não apenas em casa, mas também com seus parentes, com os quais havia se tornado mais paciente e cordata. As mudanças ocorreram também no âmbito profissional: ela se tornou uma líder infinitamente melhor e, pela primeira vez, se sentia querida pelos seus colaboradores.

O que aconteceu com essa aluna para chegar a tantas conquistas e mudanças em tão pouco tempo? São duas as respostas: a primeira e principal foram as fichas que caíram no Método CIS® e as novas crenças que ela obteve durante o processo; a segunda foram as dez perguntas poderosas, que pedi que ela respondesse a cada uma cinco vezes. Trago-as a seguir:

10 PERGUNTAS PARA ATIVAÇÃO DA CONSCIÊNCIA

1ª Como você chamaria uma mulher que trai o marido frequentemente?

2ª Como você chamaria uma mulher que trai o marido com tantos homens diferentes?

3ª Como você gostaria que fosse a esposa de seus filhos no tocante a respeito, paciência e fidelidade?

4ª Você perdoaria sua nora se fizesse com seu filho o que você fez com seu marido?

5ª "Você não é o que gostaria de ser, nem o que diz que é, muito menos o que os outros dizem a seu respeito. Você, na verdade, é o que faz corriqueiramente e as consequência disso." Levando em conta essa frase, como você se descreve em termos de caráter?

6ª Como você reagiria se visse ou soubesse que seu marido a trai com frequência e com várias mulheres?

7ª Como você reagiria se encontrasse seu marido na cama com outra mulher? Antes de responder, visualize a cena em sua mente.

8ª Quais problemas você já teve por causa de seus casos extraconjugais?

9ª O que pode acontecer de pior se você continuar tendo esse comportamento promíscuo?

10ª O que aconteceria se seus casos extraconjugais fossem filmados e colocados nas mídias sociais, e todas as pessoas vissem suas atitudes? Como você se sentiria e reagiria?

Nessas perguntas, usei as três formas de se conquistar a consciência: a educação, a empatia (se colocar no lugar do outro) e a dor. A educação veio pela reflexão do que significava aquele comportamento. A empatia veio quando eu a fiz se colocar no lugar de seus familiares como pessoas desrespeitadas e traídas. Já a dor apareceu quando a fiz experimentar mentalmente as consequências dos seus atos.

De uma maneira ou de outra, você continua sendo o único responsável pelos seus acertos ou erros. E, mesmo que desprovido de empatia, a responsabilidade de curar suas emoções e restaurar seu caráter continua sendo sua. Tenho certeza de que, com tudo o que viu até aqui, você está em processo de crescimento. Tendo já cumprido a primeira etapa do despertar da consciência, está na hora de avançar para a segunda etapa: a autorresponsabilidade.

ETAPA 2: AUTORRESPONSABILIDADE

Esta etapa, na verdade, é o tema que trago no decorrer de todo este livro. É a busca maior que trouxe como objetivo para sua vida em todas as linhas que estão por vir. Sendo assim, não o abordarei nesse pequeno módulo e deixarei todo o conteúdo adiante se ocupar dessa grande responsabilidade. O que importa saber neste momento é que, já tendo a consciência e a clareza de si e do mundo ao nosso redor, estamos prontos para a segunda etapa, que é a autorresponsabilidade – a certeza absoluta, a crença de que você é o único responsável pela vida que tem vivido. Seja ela boa ou ruim, por ação ou omissão ou, ainda, pelo que pensou ou sentiu. Autorresponsabilidade também pode ser compreendida como livre-arbítrio, ou a certeza de que é você quem está com o leme do barco da sua vida nas mãos. Então, cabe unicamente a você navegar. Um conhecido bordão diz que navegar é preciso. Eu, porém, digo que é impossível não navegar. Por isso, faço três perguntas:

1. Quem está no comando do barco de sua vida?
2. Por ação ou por omissão, para onde você está conduzindo sua vida?
3. O quanto você de fato está preparado para conduzir o barco de sua vida?

Aproveito a metáfora do barco para desmistificar uma fala muito comum que diz que fulano não fez nada o dia inteiro, ou que beltrano não fez nada em toda a vida. É impossível alguém não fazer nada. Não é correto dizer que uma pessoa passou o dia em casa na frente da televisão, deitada no sofá, tomando cerveja, sem fazer nada. A verdade é que ela fez algo; porém, o que fez foi desnecessário e improdutivo. É como se ela tivesse navegado durante horas, gastando mantimentos e recursos e, no fim do dia, descoberto que voltou ao mesmo lugar. Se a vida é uma jornada, o tempo está passando e ela não está avançando. Outra forma de entender a autorresponsabilidade é compreendê-la como uma plantação. Querendo ou não, estamos sempre plantando e consequentemente estamos também sempre colhendo algo. E como diz na Bíblia: "De Deus não se zomba. O que você plantou isso sim é o que você vai colher". O que essa passagem quer dizer é que você é responsável pelas consequências do que fez ou deixou de fazer. Então, faça o que é bom, produtivo e benéfico.

Você já tem a consciência e, ao longo deste livro, cumprirá a segunda etapa, a autorresponsabilidade, que, em outras palavras, é agir na direção certa ou, pelo menos, mais acertada possível. Se você tem consciência dos seus erros, está na hora de agir. Se tem consciência do que está errado, então ponha-se a andar na direção certa. Se tem consciência de que pode e deve ser um pai melhor, faça o que tem de ser feito. Se você, agora, tem consciência de que está acomodado profissionalmente, está na hora de se capacitar, agir e realizar o que é de seu potencial.

A segunda etapa consiste em agir massivamente na direção certa. Cumpra a segunda etapa e estará pronto para avançar para a terceira, que é criar uma visão positiva de futuro.

ETAPA 3: VISÃO POSITIVA DE FUTURO

O método tradicional de desenvolvimento humano passa por uma compreensão da mente de modo muito subjetivo. Contudo, as novas tecnologias e os saberes revelados pela neurociência moderna trazem uma forma mais clara e objetiva de entender o ser humano, seus sentimentos e pensamentos. Para o Coaching Integral

Sistêmico, o pensamento não é algo subjetivo, mas uma dualidade por imagens mentais e um diálogo interno mental, e, por isso, é um poderoso ingrediente de geração de consciência, reprogramação de crenças e mudança de comportamento. No Método CIS e no Formação em Coaching Integral Sistêmico, meus alunos aprendem que pensamento é uma imagem fotográfica mental, algo que eles veem apenas dentro da própria mente. Quando o pensamento vem sem força emocional, seu poder é pequeno; porém, quando vem sob forte impacto emocional, se torna uma forte realidade interna e um poderoso instrumento para mudança humana.

Na prática, a visão de futuro é constituída de pensamentos ou imagens fotográficas a respeito do porvir. Todos nós temos imagens mentais sobre o nosso futuro, que podem ser positivas ou negativas. Porém, a maioria das pessoas não têm consciência de sua visão de futuro e, por isso, cultiva uma combinação de imagens boas e ruins, produtivas e improdutivas, de vitória e de vitimização. E obviamente cada um de nós está colhendo o fruto dessas imagens incubadas em nossas própria mentes. A questão é: Quais imagens você tem cultivado? Imagens de paz, amor, prosperidade e felicidade, ou de dor, medo, angústia, frustração, perda e tristeza? Tenho perguntado a centenas de pessoas quais imagens elas cultivam; a maioria esmagadora diz que tem imagens muito boas trafegando em suas mentes. Porém, quando inicio as sessões de coaching, já nas primeiras ferramentas elas se dão conta de que as imagens que mais surgem em seus pensamentos são as que elas mais temem. São medos, frustrações, angústias, mágoas, rancores etc. E o que, de fato, elas desejam para o seu futuro existem apenas como pequenos fragmentos de imagens positivas assolados por um mundo de imagens negativas. Com uma análise profunda, detectamos na maioria das pessoas uma visão positiva de futuro confusa e pouco definida; já a visão negativa composta por seus medos e mágoas é percebida como uma imagem fotográfica clara e explícita. Isso mostra a qualidade dos resultados dessas pessoas. E você, tem consciência das imagens mentais que trafegam em sua mente? Você possui uma visão positiva de futuro para cada área de sua vida?

"A verdadeira felicidade não está em fazer o que se deseja, mas em amar o que realizou."

Sir Winston Churchill

ETAPA 4: FERRAMENTAS PODEROSAS DE PROGRESSO

Depois de cumprir os três primeiros passos, é preciso dispor de ferramentas poderosas de progresso, ou seja, as ferramentas certas para conduzi-lo até a sua visão positiva de futuro.

Por treze anos eu vivi todo tipo de problemas, privações e limitações, tudo isso apenas porque eu não tinha consciência. A partir do momento em que me dei conta de todos os meus erros, passei a viver de maneira autorresponsável, assumindo a responsabilidade pelos meus fracassos e pelos meus sucessos. Foi quando consegui enxergar que a minha vida tinha jeito e que eu poderia alcançar resultados extraordinários. O problema é que eu não tinha nenhuma ferramenta, muito menos as ferramentas certas. Era como se eu tivesse o barco, mas não tivesse o leme.

Durante a busca por ferramentas, caminhos e métodos para mudar a minha vida, descobri o Coaching. Naquela época, há mais de vinte anos, eu encontrei ferramentas de mudança de crenças que me ajudaram a começar a crescer.

Com a ajuda dos cursos, livros e artigos sobre neurociência, desenvolvimento humano e coaching, comecei a mudar o meu mindset, a minha programação mental. E, a partir das minhas mudanças, percebi que poderia também contribuir com a vida de outras pessoas.

Com o passar do tempo, fui vendo que o coaching tradicional, por se pautar demasiadamente em questões cognitivas, tinha suas limitações. Enquanto alguns clientes evoluíam de modo acelerado, outros simplesmente não conseguiam sair do lugar, devido a traumas e bloqueios emocionais.

Para superar essa barreira, criei o meu próprio método de coaching, o Coaching Integral Sistêmico. Nele, expandi o coaching tradicional, trabalhando a razão e a emoção ao mesmo tempo e com a mesma intensidade.

O Coaching Integral Sistêmico é um composto de ferramentas que leva o cliente a resultados extraordinários em tempo recorde, porque consegue modificar profundamente as crenças mais enraizadas.

Não ter as ferramentas certas é como identificar que se tem uma doença, mas não ter o remédio ou, pior, usar um remédio errado e ineficaz. Se queremos uma jornada de sucesso, precisamos andar, porém não adianta andar em qualquer ritmo e para qualquer direção, é preciso andar rápido e pelo caminho certo.

UMA REDEFINIÇÃO DE SUCESSO

Rir muito e com frequência; ganhar o respeito de pessoas inteligentes e o afeto das crianças; merecer a consideração de críticos honestos e suportar a traição de falsos amigos; apreciar a beleza, encontrar o melhor nos outros; deixar o mundo um pouco melhor, seja por uma saudável criança, um canteiro de jardim ou uma redimida condição social; saber que ao menos uma vida respirou mais fácil porque você viveu.

Isto é ter sucesso!

Ralph Waldo Emerson

AS 4 ARMADILHAS

Não importa a cultura, o local ou a época em que você vive. Só existe uma estrada para chegar ao topo, e ela passa, necessariamente, por consciência, autorresponsabilidade, visão positiva de futuro e as ferramentas certas. Porém, existem quatro armadilhas que impedem essa jornada. Quem entender e aplicar esse misto de conceito e método terá um mundo de conquistas e de progresso sem os percalços ao longo do caminho.

1ª Arrogância e prepotência
2ª Vaidade
3ª Atalho
4ª Zona de conforto

*A primeira armadilha é a da **arrogância e prepotência**. Trata-se de quando você acredita que pode fazer algo que, na verdade, não pode. Quem está preso a essa armadilha diz "eu sou bom", "eu sei fazer", "eu já sei disso". Para essas pessoas eu pergunto: se você sabe tanto e é assim tão bom, quais são os seus resultados?*

- *Você sabe ganhar dinheiro? Então, como está a sua conta bancária? Quantas aplicações financeiras você tem? Qual o seu patrimônio?*
- *Você sabe gerir um negócio? Como está a sua empresa? Ela vem crescendo de modo consistente?*
- *Você é um excelente pai? Como está a autoestima do seu filho? E os resultados dele, como estão?*

- *Você é um ótimo marido? Como está o seu casamento? Ele é repleto de afeto, carinho, respeito e harmonia?*

Você não é o que gostaria de ser, nem o que diz que é, você é o que faz e os resultados que colhe. Dos 17 aos 30 anos eu tentei ter sucesso sozinho, e foram treze anos "quebrando a cara". Por experiência própria, eu digo: se você não conhece a estrada, peça ajuda. Busque livros, treinamentos, coaches e mentores que possam conduzi-lo pelo caminho das pedras.

> Você não é o que gostaria de ser, nem o que diz que é, você é o que faz e os resultados que colhe.

Acredite, você não é uma ilha. O que você sabe é sempre pouco diante de tudo que ainda tem para aprender. E, por mais que você acredite que é capaz de fazer sozinho, você precisa de ajuda.

*A segunda armadilha se chama **vaidade**. Há quem compre o que não precisa, usando o dinheiro que não possui para mostrar a pessoas das quais não gosta. O nome disso é vaidade: quando você determina as suas ações pela imagem que quer passar para os outros e não pelo que é certo ou benéfico.*

Conheci pessoas que deformaram os próprios corpos com hormônios, esteroides e cirurgias plásticas motivadas pela vaidade. Já vi outras que deixaram de fazer os meus treinamentos porque tinham medo do que os colegas iam pensar. Elas estavam mais preocupadas com a opinião alheia do que com os próprios resultados.

A vaidade sempre será um dos maiores empecilhos para que alguém tenha sucesso verdadeiro, pois ela funciona como uma prisão, que o impede de fazer o que realmente precisa ser feito.

Outra armadilha comum é o **atalho**. Muitas pessoas estão buscando formas rápidas e fáceis de ganhar dinheiro. Elas esperam que, por um passe de mágica ou um golpe de sorte, de repente, se vejam com todo o sucesso que sempre sonharam. Não seja ingênuo: ninguém chega no topo por atalho. Para subir a montanha, você vai ter que trilhar o caminho e pagar o preço da escalada.

Como diz a sabedoria popular "se o atalho fosse bom, já teria se tornado o caminho; se o atalho fosse seguro, todos andariam por ele". Só pessoas despreparadas acreditam no atalho como estilo de vida.

O sucesso deixa pistas e, se você olhar bem, essas pistas estão ao longo de um extenso caminho, e não de um atalho. As pessoas que conquistaram grandes coisas trilharam uma jornada de trabalho árduo até chegarem ao sucesso. Porém, muitos olham para elas, enxergam apenas a reta final e dizem que o caminho delas foi rápido. Não foi.

Grande parte do trajeto das pessoas de sucesso é feito em particular, numa pequena empresa, num quarto, numa garagem etc. Muitos olham apenas para o que elas fizeram em público e esquecem que elas trilharam uma longa trajetória em privado.

Podemos ver várias formas de atalho: aquela pessoa que acha que vai ficar rica jogando na loteria, no 'pulo do gato' ou até roubando e mentindo, ou mesmo aquele que deseja emagrecer com uma fórmula mágica, sem fazer exercícios e sem controlar a alimentação. Talvez alguma dessas medidas surtam efeito por um pequeno espaço de tempo, mas esse tipo de "sucesso" dura pouco e tem consequências perversas. Pessoas que buscam atalho tem os dias contados.

Por último, existe uma quarta armadilha: a **zona de conforto**. Eu costumo dizer que zona de conforto é a combinação de várias mentiras paralisantes com prazo de validade vencido. Explico: uma pessoa precisa contar diversas desculpas a si mesma para não fazer o que deve ser feito e continuar tendo um comportamento prejudicial. Ela pode, por exemplo, dizer que não vai ler um livro ou brincar com o filho depois do trabalho porque está cansada demais para isso. Talvez ela diga que não tem nada de mais em não fazer atividade física e comer muito açúcar e carboidrato. Ou, quem sabe, ela cria diversas justificativas para gastar mais dinheiro do que poderia. São, justamente, essas desculpas que vão arruinar a sua carreira, a relação com o filho, a saúde, a vida financeira e todas as outras áreas.

Zona de conforto é a combinação de várias mentiras paralisantes com prazo de validade vencido

Ao longo da minha carreira como coach, percebi que todos nós estamos presos a pelo menos uma dessas **quatro armadilhas** em algum aspecto de nossas vidas. Para nos libertarmos delas, o primeiro passo é reconhecê-las.

EXERCÍCIO

Elenque abaixo as áreas da vida em que você se percebe com resultados negativos (ex: área conjugal, profissional etc.). Depois escreva, para cada área, em qual das armadilhas (prepotência e arrogância, vaidade, atalho ou zona de conforto) você está preso, qual o comportamento negativo e que ações você fará para se libertar.

Ex:

Área: **Saúde.**

Armadilha: **Zona de conforto.**

Comportamento negativo: **Comer muito carboidrato e açúcar.**

Ação positiva: **Zerar o consumo de açúcar e só comer carboidrato no café da manhã.**

*Área 1:*_____

*Armadilha:*_____

*Comportamento negativo:*_____

_____

*Ação positiva:*_____

Área 2:_____
Armadilha:_____
Comportamento negativo:_____

Ação positiva: _____

Área 3:_____
Armadilha:_____
Comportamento negativo:_____

Ação positiva: _____

"E ao final vão lhe perguntar: o que você fez da sua vida? E você? O que vai responder? Nada?"

Anton Pavlovitch Tchekhov

CAPÍTULO 4

AUTORRESPONSABILIDADE

Seja como for, você é o único responsável pela vida que tem levado. Você está onde se colocou. Tudo é absolutamente mérito seu – por meio de suas ações conscientes ou inconscientes, da qualidade de seus pensamentos, comportamentos e palavras ou, até mesmo, pelas crenças que se permitiu ter.

Essa afirmação pode parecer muito dura, pode soar até mesmo como uma acusação. Peço que não a entenda dessa forma, mas como uma realidade libertadora.

A crença de que foi você quem se colocou ou, pelo menos, se permitiu estar onde está é muito salutar, afinal, se foi você quem se colocou na situação atual, por pior que seja ou esteja, você foi o timoneiro de sua vida, foi o responsável, o condutor do destino. Como condutor, como timoneiro, você obteve resultados, e não fracassos. Dentro dessa perspectiva, se está insatisfeito com os resultados obtidos, basta reconhecer que suas escolhas e caminhos não têm sido satisfatórios e, então, direcioná--los de maneira autorresponsável, objetiva e consciente, pois nada é coincidência. O que você está vivendo não são fatalidades do destino e você não é vítima de ninguém nem das circunstâncias.

EXERCÍCIO 4

Autorresponsabilidade é a crença de que você é o único responsável pela vida que tem levado, sendo assim, é o único que pode mudá-la.

Paulo Vieira

Reescreva três vezes a afirmação anterior, em primeira pessoa e com as suas próprias palavras.

_____

_____

_____

_____

_____

> *Acesse* **www.febracis.com.br/livroauto** *e assista trechos do Método CIS, maior treinamento de Inteligência Emocional das Américas, onde eu abordo o tema Autorresponsabilidade.*

Pensando dessa maneira, sendo e se comportando como o autor de sua história, você poderá se colocar em qualquer outro lugar, poderá escrever e reescrever seus caminhos e escolhas.

A autorresponsabilidade lhe dá poderes e o capacita a mudar o que deve ser mudado para continuar a avançar na direção dos seus objetivos conscientes e de um equilíbrio e plenitude.

O PODER DA AUTORRESPONSABILIDADE | 101

É importante saber que todas as nossas mudanças e conquistas se iniciam depois de assimilarmos esse conceito e passarmos a viver de acordo com ele.

Como tudo na vida, acreditar ou não em qualquer coisa é uma questão de opção. Acreditar que você é o único responsável pela vida que tem levado também é uma questão de escolha. Prefiro acreditar que criamos nossas experiências, seja por palavras, comportamentos, pensamentos e/ou sentimentos, e que a nossa maneira de falar, agir, pensar e sentir gera resultados palpáveis.

Pessoas de sucesso sabem utilizar sua estrutura mental para colher resultados e, quando os resultados são ruins, aprendem com eles, com responsabilidade, optando por uma estrutura mental correta – passam a falar, pensar e se comportar de modo diferente. Pessoas de grandes conquistas, após uma derrota, não culpam as circunstâncias, outras pessoas ou o destino,

Pessoas de grandes conquistas, APÓS UMA DERROTA, NÃO CULPAM AS CIRCUNSTÂNCIAS, OUTRAS PESSOAS OU O DESTINO, ELAS *assumem a responsabilidade pelos resultados* E SE PERGUNTAM: O QUE EU DEVO FAZER DIFERENTE PARA QUE, DA PRÓXIMA VEZ, OS RESULTADOS SEJAM MELHORES?

O PODER DA AUTORRESPONSABILIDADE | 103

elas assumem a responsabilidade pelos resultados e se perguntam: O que eu devo fazer diferente para que, da próxima vez, os resultados sejam melhores?

Se você não acredita que tem livre-arbítrio para criar e escrever sua história presente e futura, se não acredita que está criando o seu mundo a cada pensamento e a cada decisão tomada, se ainda acha que seus sucessos e fracassos não dependem de você, demonstra que sua vida está à mercê das circunstâncias, dos outros e do mundo. Se acredita que a sua trajetória é uma sucessão de acasos, resta a pergunta: Quem está direcionando a sua vida? Quem é o responsável pelos frutos que você tem colhido? Alguém está no controle. Se esse alguém é Deus, lembre-se de que, desde o Éden, Ele tem dado o livre-arbítrio ao ser humano, e este não tem feito bom uso desse recurso.

Você é o tipo de pessoa que deixa que as circunstâncias e os fatos vão acontecendo e vive, não como protagonista, mas como coadjuvante da própria história, como uma marionete esperando ser convidada a rir ou a chorar?

Os compositores Bernardo Vilhena e Lobão criaram uma música que dizia mais ou menos assim: "Vida louca vida / Vida breve / Já que eu não posso te levar / Quero que você me leve…". A pergunta é: Para onde sua vida tem o levado por todos esses anos? Para uma vida "louca", como na canção, ou para a felicidade?

Ser autorresponsável é ter a certeza absoluta de que você é o único responsável pela vida que tem levado, logo, é o único que pode mudá-la.

Pensar desta maneira é uma das melhores formas de avaliar e desenvolver seu nível de maturidade emocional e, em consequência, aumentar, de modo exponencial, sua capacidade de realização. É a certeza de possuir uma crença que valide todas as outras crenças fortalecedoras que você possui; é a garantia de ser uma pessoa não apenas de ideias, mas de ação, alguém realizador, capaz de construir uma vida feliz e plena.

EXERCÍCIO 5

Escreva nas linhas a seguir uma visão extraordinária de futuro. Descreva a vida que você sempre quis, sem limites para sonhar! O que você gostaria de ser, fazer e ter? Quais são seus sonhos mais ousados (pense nisso sem críticas e sem limitar suas possibilidades? Apenas escreva a visão da sua vida extraordinária.

Agora, compare essa visão com a vida que tem levado. Esteja certo de que as circunstâncias são criadas por você e, como tal, somente você pode mudá-las. Para isso, será necessário uma forte decisão de romper com o passado, como também a persistência e perseverança para esperar que os novos frutos venham no momento apropriado. Existe tempo para plantar, para regar o que foi plantado e, só depois, para colher. Há de se repetir o processo também: semear, regar e colher sempre. É um ciclo.

UMA HISTÓRIA DE AUTORRESPONSABILIDADE

Durante o *Apartheid*, na África do Sul, Nelson Mandela passou cerca de 26 anos na prisão, dos quais muitos foram na solitária. Ao invés de lamentar-se e sentir-se uma vítima indefesa, ele se colocou como autor de sua

O PODER DA AUTORRESPONSABILIDADE | 107

própria história e da história de seu país. Ele responsabilizava a minoria branca pelo fato de estar preso, entretanto, se considerava o único responsável pelos seus sentimentos, pensamentos e atitudes na prisão e sobre o que faria quando saísse de lá. Ele via seus amigos de prisão sucumbirem; enquanto isso, preparava-se para ser o primeiro presidente negro da África do Sul. Estudou Administração Pública, Direito Internacional, Direito Penal e muitas outras matérias importantes para o seu futuro, ainda encarcerado. Quando seus colegas e até mesmo os guardas o viam com tanto bom humor e felicidade, lhe diziam: "Mandela, acorda, você está na prisão, daqui você só sai para o seu funeral". Outros, querendo entender tanta determinação e felicidade, questionavam: "Como você faz para estar sempre tão bem?"; e ele respondia: "Meu corpo eles podem ter prendido, mas a minha mente (pensamentos e sentimentos) sou eu que controlo". Ele continuava:

Posso responsabilizá-los pelas suas atitudes, porém eu sou o único responsável pelos meus sentimentos.

Que tal trazer esse poderoso conceito, presente na trajetória das pessoas de grandes realizações, para a sua vida?

Quando os acontecimentos não geram os resultados que esperamos, quando nossa vida não está como gostaríamos, temos duas possibilidades: a primeira é assumir a responsabilidade pelos resultados e aprender com eles; a outra é achar um culpado, encontrar alguém para criticar e responsabilizar.

Tenho treinado, orientado e feito coaching com centenas de executivos bem-sucedidos e percebo, cada vez mais, a diferença entre os prósperos e os que ainda não enxergaram todas as suas potencialidades. Os limitados normalmente pensam muito, refletem sobre tudo e sobre o que pode não dar certo – dessa maneira, tornam-se peritos em justificar suas falhas e explicar o porquê de as coisas não acontecerem como eles haviam calculado; são pessoas de grandes ideias, porém, de pouca realização. Esse tipo de profissional costuma ajudar seus colegas, dá sugestões, mostra onde eles estão errando e o que precisam fazer para terem êxito. Por mais que esteja certo e suas ideias sejam boas, com análises coerentes, são apenas ideias e só se aplicam aos outros – quando fala de si, só resta a justificativa pelo fato de seus planos não darem certo.

Uma grande ideia oriunda de profunda reflexão sem uma ação para colocá-la em prática é o mesmo que frustração.

Já as pessoas de sucesso geram boas ideias – talvez não sejam as melhores ideias, talvez nem sejam suas –, porém são capazes de colocá-las em prática, de fazê-las acontecer. Se não obtiverem os resultados esperados, não reclamam, muito menos se justificam. Pessoas de sucesso assumem que estão onde se puseram e, com humildade e sabedoria, buscam aprender com seus erros, para que da próxima vez possam obter resultados melh~es.

Lembre-se, as pessoas de sucesso não costumam desistir dos seus objetivos; elas aprendem com seus erros e perseveram, persistem nos seus objetivos, só que desta vez fazendo diferente: comportando-se, pensando e sentindo diferente. O nosso cérebro se divide em dois hemisférios:[3] o hemisfério esquerdo é o lado do cérebro responsável pela lógica, a memória, a sistematização e a reflexão, é aí que reside toda a nossa capacidade de elaborar ideias, planejar, conjecturar; onde reside o tão falado, porém hoje esquecido, QI (quociente

---

3 Essa divisão, porém, não é absoluta, pois os dois hemisférios são interconectados, trabalhando em conjunto, e o papel de cada área varia de acordo com a necessidade. Aqui, usamos essa divisão no sentido metafórico, com o objetivo de tornar a explicação mais clara e didática.

de inteligência). Já o lado direito do cérebro é o responsável pelas emoções, os sentimentos, os pensamentos involuntários, a inconsciência, a intuição e as crenças. É o lado responsável pela nossa capacidade de realização, onde reside o atualmente famoso QE (quociente emocional), assunto tão abordado por Daniel Goleman.

Dessa maneira, próspero e vitorioso é o ser humano que consegue integrar essas duas áreas do cérebro, ter grandes ideias e conseguir agir para pô-las em prática. Se eu tivesse, porém, que escolher entre ter grandes ideias e reflexões ou ser realizador, eu elegeria o hemisfério direito e a capacidade de realização, mesmo que fosse um realizador de ideias medíocres. É melhor realizar ideias pequenas do que ter grandes e espetaculares ideias e não pô-las em prática. Tenho visto pessoas prosperarem muito colocando em prática ideias velhas e batidas. Certa vez ministrei uma palestra para duzentos professores

Pessoas de sucesso ASSUMEM QUE ESTÃO ONDE SE PUSERAM E, *com humildade e sabedoria, buscam aprender com seus erros,* PARA QUE DA PRÓXIMA VEZ POSSAM OBTER RESULTADOS MELHORES.

de uma organização educacional, quando uma professora muito capacitada intelectualmente discordou sobre ser responsável por tudo que vinha vivendo, sobre o conceito da autorresponsabilidade. Ela protestou e disse: "A vida do ser humano é determinada pelo seu conhecimento e a reflexão que faz sobre tal conhecimento". Em seguida, ela citou Karl Marx, Rousseau, Einstein, Newton e outros cientistas e pensadores. De certo modo ela estava certa, ou melhor, ela estava 50% certa. De fato, a reflexão é muito importante. No entanto, como já disse, sem a capacidade de executar e realizar meus planos e ideias, só me restará a frustração. Num contexto macro, tais pensadores e suas teorias são de vital importância, porém, num contexto pessoal e prático, nenhuma teoria vale nada se ficarmos atados e imobilizados por reflexões e pensamentos, principalmente se essas teorias reforçam que somos meros espectadores, que não podemos mudar ou reescrever nossa história. Depois de ela ter se pronunciado com tanta fúria, sentindo-se acusada, apresentei a todos o que Albert Einstein pensava sobre o assunto:

> *Penso 99 vezes e nada descubro. Deixo de pensar, mergulho no silêncio e a verdade me é revelada [...] Precisamos tomar cuidado para não fazer de nosso intelecto o nosso deus. Ele tem músculos poderosos, mas não tem nenhuma personalidade [...] Realidade é meramente uma ilusão, embora bastante persistente [...] A imaginação é mais importante do que o conhecimento [...] Uma pessoa só começa a viver quando consegue viver fora de si mesma.*

Albert Einstein

Projetei um slide com esses dizeres de Einstein, ela copiou – na certa deve ter repensado bastante, em uma série de diálogos internos – e, ansiosa, pediu que eu continuasse. Depois, ela me confidenciou:

O PODER DA AUTORRESPONSABILIDADE | 115

"Talvez a solução dos meus problemas existenciais esteja por aí". Quando essa professora tinha discordado, uma outra tentou puxar aplausos junto aos outros participantes, indo contra o conceito de autorresponsabilidade. Importante dizer que a outra professora, que também não concordava com o conceito, chegou com uma postura totalmente reativa, não participou de nenhuma dinâmica e manteve sua postura e fisiologia corporal em sinal de rejeição à instituição e ao momento.

É certo que, para aquelas duas professoras, suas vidas não estavam sob seus controles e as coisas não estavam como desejavam. Talvez elas continuem assim, até que se tornem capazes de se responsabilizar por seus destinos – até que parem de achar culpados por seus insucessos e frustrações. Para prosperarem, terão que parar de odiar o mundo, como se ele fosse o algoz, terão de parar de se tratar como vítimas, eliminando a atitude de autocomiseração.

Como coach e treinador, tenho passado por todo tipo de empresas e conhecido os mais variados profissionais. Os autor-responsáveis são otimistas e motivados, independentemente das circunstâncias. Mesmo que não estejam sendo remunerados a contento, eles dão o seu melhor; mesmo que não sejam reconhecidos pela organização, continuam sendo produtivos e alegres; e, quando as circunstâncias se tornam adversas e não interessantes, eles optam por não reclamar, não criticar, muito menos culpar a empresa ou dirigentes por se sentirem como se sentem. Eles buscam em si a solução e, se não a encontram, vão em busca de seus objetivos; com ética, pedem licença para fazer o seu caminho e criar com responsabilidade a sua história, no caso, uma história de sucesso.

CASO REAL I

Vou contar uma história que ilustra bem a atitude de autorresponsabilidade. Sabrina

OS AUTORRESPONSÁVEIS SÃO OTIMISTAS E MOTIVADOS, *independentemente das circunstâncias.*

era *chef* de cozinha em um restaurante conhecido de Fortaleza. Ela me relatou que estava muito satisfeita nesse estabelecimento, a equipe com a qual trabalhava gostava bastante dela, as comidas eram elogiadas e tudo ia bem. "Eu estava muito adaptada ao local, gostava de estar lá, mas o restaurante foi vendido para um grupo de fora do estado e com isso eles mudaram pessoas estratégicas no estabelecimento. Eu fui uma delas". Ela relatou que muitas outras pessoas também foram substituídas, mas ela não esmoreceu. "Saí com a cabeça erguida de lá, pois eu sabia da qualidade do meu trabalho e também nunca parei de buscar inovações". As pessoas com quem ela trabalhava ficavam espantadas com a atitude, pois a jovem não ficou com raiva, nem brigou com ninguém. Apenas seguiu seu rumo. "Ficar reclamando ou me sentindo vítima da situação não ia resolver nada. Aceitei a demissão, embora dolorosa, e segui minha vida."

O PODER DA AUTORRESPONSABILIDADE | 119

Cerca de três meses depois, Sabrina estava participando de um curso na área de gastronomia em São Paulo, quando conheceu uma representante de um restaurante português que estava buscando inovar e atingir o público brasileiro na cidade do Porto. Elas trocaram ideias e não demorou para que Sabrina fosse convidada a se tornar a *chef* desse restaurante. "Embora eu gostasse muito do meu antigo emprego, aqui eu pude crescer muito mais e hoje sou ainda mais feliz e realizada. Eu convivo com pessoas de todo lugar. Posso visitar locais com tradições gastronômicas maravilhosas, como França, Itália etc. Além disso, não me distanciei tanto do Brasil, pois trabalho e fiz amizade com muitos brasileiros que vivem em Portugal". O restaurante vem fazendo tanto sucesso que, recentemente, Sabrina foi convidada a se tornar sócia. Sem sombra de dúvidas, a atitude autorresponsável dela foi determinante para que conseguisse tal reviravolta.

Os autorresponsáveis agem de maneira ativa, eles vivem em primeira pessoa. São eternos aprendizes.

Tenho visto muitos vendedores reclamando de suas empresas, dos seus preços não competitivos, de seus produtos, de seus chefes. Entretanto, tenho visto outros, dentro das mesmas empresas e das mesmas equipes, gerando grandes resultados com as mesmas condições, circunstâncias e recursos. O que os diferencia? A atitude e a crença de que são os únicos responsáveis pela vida que têm levado, sendo assim, os únicos capazes de mudá-la.

"Na tempestade o pessimista reclama do vento, o otimista espera a tormenta passar e o autorresponsável ajusta as velas".

Paulo Vieira (adaptação)

CAPÍTULO 5

USANDO METÁFORAS
PARA MUDAR A SI MESMO

AH, SE EU TIVESSE TIDO OPORTUNIDADE...

Pessoas sem autorresponsabilidade culpam a falta de oportunidade como fator imobilizante e responsável pela mediocridade de suas vidas e dizem: "Se eu tivesse dinheiro... Se eu tivesse a chance... Se meu pai tivesse sido...".

Como o "se" tem sido mal aplicado! Se eu tivesse isso, se eu ganhasse aquilo, se fosse promovido, se os clientes fossem mais fáceis, se meu preço fosse mais competitivo, se eu tivesse mais tempo, se o dia tivesse 30 horas. O fato é:

Se não justificasse tanto, se não reclamasse, se não esperasse dos outros, tudo seria diferente na vida dessa pessoa.

CASO REAL II

Um professor universitário me relatou: "Meus resultados poderiam ser melhores se os alunos fossem mais interessados. Não depende somente de mim... De que

O PODER DA AUTORRESPONSABILIDADE | 123

adianta eu explicar o conteúdo e pensar em um bom cronograma de atividades se eles não se interessam, não veem utilidade na minha disciplina, tampouco se esforçam? Se realmente eles mudassem e participassem mais dos exercícios em sala, as notas da turma toda melhorariam e, quem sabe, veriam que a matéria nem é tão difícil assim".

Após o Método CIS® e algumas sessões de coaching, o discurso e o comportamento dele tornaram-se completamente diferentes. Eles passou a dizer coisas como: "Percebi que eu estava relapso e omisso. Dava as aulas sempre do mesmo jeito há quase duas décadas e esperava que o resultado fosse diferente. Meus alunos, de fato, são muito bons (inclusive tenho bastante sorte, pois são curiosos e trazem coisas novas para que eu aprenda também). Eu que estava infeliz com a minha carreira e acabava descontando neles, com cara fechada, não recebendo suas

Pessoas sem autorresponsabilidade culpam a falta de oportunidade COMO FATOR IMOBILIZANTE E RESPONSÁVEL PELA MEDIOCRIDADE DE SUAS VIDAS E DIZEM: "SE EU TIVESSE DINHEIRO... SE EU TIVESSE A CHANCE... SE MEU PAI TIVESSE SIDO...".

contribuições com bons olhos e também sendo arrogante por achar que eu sabia bem mais do que eles. Em vez de culpá--los, eu deveria ter tido a coragem de ter me demitido há muito tempo em vez de estar prejudicando os alunos.

Eu deveria ter feito melhor: trazido slides novos, livros novos, uma nova didática. Diversas vezes eles tentaram me falar isso, mas eu via apenas como prepotência e infantilidade.

Dessa vez, vou tentar não somente dar aulas, mas mudar a vida de cada um deles em sala, inspirá-los a serem profissionais e pessoas melhores e crescerei também com o que eles me passarem. Feedback é importante e nada melhor do que receber de quem vê você quase todos os dias.

Decidi não me justificar mais (hoje acho até cansativo fazer isso). Além disso, eu vou agir, mesmo que não saiba se é a direção certa, mas agirei, preciso recuperar todos os anos perdidos."

Em menos de um mês, ele provou que sua nova "filosofia" era verdadeira e dava resultados. Em pouco tempo, os alunos notaram que ele estava mais feliz, que o ritmo da aula mudou e que aquele momento de aprendizado, antes enfadonho, passou a ser uma das horas mais esperadas da semana. Até ele próprio se surpreendeu. Para quem achava que a solução estava no outro (ou então em uma demissão), ele deu uma nova vida para aquela carreira que ele escolhera há tanto tempo abraçar.

CASO REAL III

Um vendedor de uma concessionária de veículos de marca mundial, em um momento de desabafo, me relatou: "Tudo nesta empresa é difícil, o salão de vendas é antiquado e muito apertado, a marca que nós vendemos está em declínio e nossa assistência técnica é a pior do mundo, ela só faz piorar a situação. Como é que se pode

Feedback *é importante* E NADA MELHOR DO QUE RECEBER DE QUEM VÊ VOCÊ QUASE *todos os dias.*

vender desse jeito? Ninguém deixa eu fazer meu trabalho direito! Paulo Vieira, quem precisa de treinamento e consultoria não sou eu, nem a equipe de vendas, mas os diretores". Ele continuou: "Se eu pudesse mudar a empresa, se eu fosse o gerente ou o dono, aí sim tudo seria diferente, mas como Deus não dá asa a cobra, não é? Então, vou levando como Ele quer".

Para mim, estava tudo muito claro, era um caso típico de um vendedor sem autorresponsabilidade, um vendedor se sentindo injustiçado, vitimado pelo mundo, pelas circunstâncias e pela empresa, achando que todo o seu fracasso era provocado pelos outros e que não tinha meios de mudar a sua "pobre existência".

Depois de tanta lamúria e autocomiseração, já não aguentando mais, perguntei: "Há quanto tempo está na empresa?". "Há oito anos", ele respondeu. "Quer dizer que você já fez muitos treinamentos e conhece tudo sobre esses automóveis?" "Duvido que alguém aqui entenda mais dessa marca e de vendas do que eu", afirmou ele de maneira categórica. "Então, por favor, me responda: Por que os novatos, jovens com muito pouca experiência em veículos e em vendas de carros, vendem mais do que você?". Com toda a prontidão, como se já esperasse pela pergunta, ele respondeu em tom agressivo e vitimado: "Se eles estivessem aqui desde o começo estariam como eu, desmotivados e cansados de remar contra a maré". Escondendo minha impaciência com tanta autocomiseração, continuei o diálogo: "E por que continua nesta empresa há tanto tempo, já que não concorda com as políticas internas, estratégias e estrutura física? O que o impede de buscar algo melhor, mais compatível com o seu potencial e estilo, já que você é tão bom? Por que não foi em busca de uma empresa que reconheça o seu valor e sua experiência?". Ele ficou calado por algum tempo, olhou para cima em busca de uma resposta convincente, depois ficou com o olhar perdido no horizonte, quando, enfim, olhou para baixo, já com a fisiologia corporal mais humilde, e seus olhos se encheram de lágrimas. Então falou: "Na verdade, tudo está diferente, antigamente os clientes eram fartos, não havia tantas marcas competindo conosco, era só a Ford, a Fiat, a Chevrolet e a Volkswagen. Agora, é uma loucura – Toyota, Renault, Peugeot, Honda, Mitsubishi, Nissan, são mais de trinta, muitas delas com fábricas aqui no Brasil, fora todas as outras que são importadas. Na época em que o fundador tocava a empresa, não existia tanta cobrança, havia mais liberdade; era muito mais fácil vender um carro. Eram os clientes que compravam, bastava o vendedor estar atento e tirar o pedido. Hoje, os clientes são cada vez mais exigentes, é necessário um esforço muito maior e, para piorar, vêm vocês da consultoria com essa história de pré-venda, pós-venda, prospecção, CRM, resumos de desempenho, quadros de metas, até prestação de contas de vendas adicionais existe agora. São muitas mudanças e... não sei se sou capaz...". Nessa hora, ele parou, refletiu um pouco mais e continuou: "Acho que estou meio acomodado, talvez até viciado no passado. Não sou mais nenhuma criança, não sei se sou capaz de me adequar a tanta mudança". Com bastante emoção, pela primeira vez ele se permitiu refletir sobre sua vida profissional e seu futuro, pensar sobre seus defeitos e falhas, sobre o que fazia e deveria fazer. Diante das colocações dele falei: "O começo de sua virada já começou a acontecer, você foi capaz de olhar para dentro de si e usar a autoconsciência, enxergar o que está bom e o que está ruim, o que deve ser mantido e o que pode ser mudado. Parabéns! Tudo começou a mudar neste instante".

Para dar mais ênfase à possibilidade de mudança, apresentei-lhe dois pressupostos da programação neurolinguística:

Pressuposto 1
Todos temos os recursos que necessitamos para prosperar e ser felizes.

Pressuposto 2
Se alguém pôde, você também pode.

O semblante começou a melhorar, a cabeça se ergueu, os ombros se projetaram para trás e um sorriso surgiu, então ele perguntou: "Acha mesmo que posso ser um dos melhores vendedores da empresa?." Se pessoas sem experiência podem, imagina você com toda a sua bagagem e vivência. Para que seu sucesso ocorra, porém, depende de apenas duas coisas:

1. Continuar vivendo uma postura de autorresponsabilidade, reconhecendo que o que você está vivendo é o resultado de como tem pensado, falado, se comportado, trabalhado e encarado a vida.

2. Manter a decisão firme de mudar a si mesmo para que tudo mude à sua volta.

Responsabilize-se por sua vida, ACEITE O DESAFIO DE USAR SABIAMENTE O LIVRE-ARBÍTRIO QUE DEUS LHE DEU *e vá em frente.*

Presenteei-o com um livro de minha autoria e, em pouco tempo, pude apreciar e me deleitar com uma nova pessoa surgindo, um novo profissional, um cabedal de mudanças que redirecionaram a vida dele: familiar, conjugal, social e, até mesmo, a saúde e a aparência física.

Em conversas posteriores, ele me relatou que a ferramenta que mais usou foram as seis leis para a conquista da autorresponsabilidade.

Responsabilize-se por sua vida, aceite o desafio de usar sabiamente o livre-arbítrio que Deus lhe deu e vá em frente. Sua vida e suas realizações esperam por você.

"Como poderás dizer ao teu irmão: 'irmão, deixa-me tirar o cisco que está no teu olho' não atentando tu mesmo na trave que está no teu olho? Hipócrita, tira primeiro a trave do teu olho e então verás bem o cisco que está no olho de teu irmão."

Lucas 6:42

CAPÍTULO 6

AS SEIS LEIS PARA A CONQUISTA DA AUTORRESPONSABILIDADE

Estas seis práticas, linguísticas e comportamentais, quando transformadas em hábitos diários, trarão mudanças na sua vida de modo que as pessoas ao seu redor perceberão que uma nova pessoa surge. Você verá novas oportunidades e possibilidades batendo à porta, coisas muito boas acontecerão. Então, perceberá que a mágica da autorresponsabilidade chegou.

1. Se é para criticar, cale-se.
2. Se é para reclamar, dê sugestão.
3. Se é para buscar culpados, busque solução.
4. Se é para se fazer de vítima, faça-se de vencedor.
5. Se é para justificar seus erros, aprenda com eles.
6. Se é para julgar as pessoas, julgue apenas suas atitudes e comportamentos.

A seguir, vamos entender melhor cada uma das delas.

LEI Nº 1
SE É PARA CRITICAR, CALE-SE

No dicionário da língua portuguesa, criticar significa examinar com critério, notando a perfeição ou os defeitos, mas significa também falar mal ou censurar algo ou alguém.

Por favor, não me venha dizer que as suas críticas são construtivas e que o objetivo real é ajudar o outro. Eu nunca vi, em toda a minha vida, alguém criticando o outro pensando sinceramente em ajudar. Como você se sente quando alguém te olha e, com um tom de quem sabe mais do que você sobre o assunto, diz: "Olha, vou fazer uma crítica construtiva, mas é para o seu bem!". Bastam essas duas palavras – crítica e construtiva – serem pronunciadas que o semblante cai, o olhar baixa e a pessoa se prepara para a "bordoada" que está por vir.

Se o foco e a intenção fossem de fato positivos, ela não faria uma crítica. Ela se calaria ou daria uma ideia, diria algo em que o foco fosse o acerto, não o erro. Algo que colocasse o ouvinte para cima, não para baixo. Se você é daqueles que adoram criticar e analisar tudo e continua achando a crítica um mal necessário, experimente, em vez de fazer a crítica, dar uma sugestão ou ideia; você verá que os resultados obtidos serão muito maiores, e as pessoas farão questão de sua companhia e orientação, algo que não acontece com os que gostam de criticar. Lembre-se, é muito fácil criticar, é muito cômodo falar do cisco nos olhos dos outros, porém, isso impede de vermos a trave nos nossos olhos. Quando paramos de criticar, nosso foco passa a ser a solução e não o problema. Nosso subconsciente passa a se responsabilizar pelos acontecimentos e, de maneira mágica e inconsciente, as decisões e atitudes se tornam mais acertadas, proativas, maduras e, finalmente, mais produtivas.

QUANDO *paramos de criticar,* NOSSO FOCO PASSA A SER A solução E não o problema.

LEI Nº 2
SE É PARA RECLAMAR, DÊ SUGESTÃO

A definição da palavra reclamar é muito clara e não dá margem para outra interpretação. Reclamar é exigir para si, reivindicar, e, em outra abordagem, significa também queixar-se, protestar e lamuriar. Infelizmente, existem pessoas pautando suas vidas em reclamações e cobranças desenfreadas, criando para si uma existência pobre e carente. Na Bíblia, há diversos relatos do poder das palavras proferidas e muitos cristãos continuam com uma total imprudência verbal, usando palavras de reclamação e lamúria como uma faca sem pegadura, que quanto mais tentam usar, mais se ferem. Em I Coríntios 10:10 é dito: "Que não se lamentem e lamuriem como fazem alguns, pois estes foram destruídos pelas mãos do anjo destruidor".

A única coisa real que se consegue com a reclamação e a lamentação é provar a incapacidade do outro, deixando claro que quem reclama é, na teoria, superior e mais capaz. Outra, dentre centenas de passagens bíblicas que falam sobre o perigo de se proferir palavras contaminadoras, está em Efésios 4-29. Diz assim: "Não saia de vossa boca nenhuma palavra torpe (suja, contaminadora), e sim unicamente a que for boa para edificação, conforme a necessidade, e, assim, transmita graça aos que ouvem". Veja bem, esta passagem diz para falarmos apenas palavras que edifiquem, conforme a necessidade de quem ouve, e não para satisfazer o ego de quem fala. De certo, a característica mais forte e perigosa da reclamação é a fuga da autorresponsabilidade, é se eximir dos acontecimentos. É olhar o que acontece consigo, e ao seu redor, como se não tivesse nenhum poder ou influência. É tirar o foco das coisas erradas e indesejadas de si e colocar nos outros ou nas circunstâncias. É se fartar na reclamação, eximindo-se de agir. É sentar e observar "o circo pegar fogo" em vez de concentrar esforços na solução. Ou agimos com interesse na solução, ou reclamamos e colocamos nossa força e poder no problema. Os vitoriosos não perdem tempo reclamando e focando o problema, eles focam a solução e as possibilidades. Isso não quer dizer que pessoas equilibradas e autorresponsáveis não confrontam os outros com a verdade. Não impede que olhem nos olhos de seu filho e, sem reclamar, digam o que esperam dele e que esse caminho não será de felicidade. Não reclamar não significa se calar diante de um erro ou mau desempenho e fingir que não viu. É fundamental para o sucesso das seis leis que você possa confrontar os outros com a verdade, dizer-lhes suas expectativas e o que de fato ela realizou, falando muito mais de fatos e dados do que de sentimentos.

Muitos usam a reclamação como uma forma de chamar a atenção. Já as pessoas plenas, realizadas e realizadoras optam por olhar e se deter prioritariamente aos pontos fortes, pois sabem que palavras são sementes adubadas e, quando nos detemos mais nos problemas e erros, são essas sementes que vão florescer, mas quando nos detemos nas soluções e possibilidades, são estas que florescerão e, muitas vezes, as possibilidades florescem a ponto de os problemas se tornarem irrelevantes. Porém, como tudo na vida, a qualidade das palavras proferidas é uma opção. Se serão palavras de críticas e cobranças, ou se serão elogios. Exerça o livre-arbítrio e fale bem, com prudência.

LEI Nº 3
SE É PARA BUSCAR CULPADOS, BUSQUE A SOLUÇÃO

Como a crítica, a busca pelos culpados é uma maneira simples e rápida de se desresponsabilizar pelo mundo em que se vive, pelos acontecimentos, pelos fatos

Os vitoriosos NÃO PERDEM TEMPO RECLAMANDO E FOCANDO O PROBLEMA, ELES *focam a solução e as possibilidades.*

e pelos resultados obtidos. É muito fácil olharmos para os erros dos outros, porém, é difícil percebermos os nossos. Em nível neural, isso é um grande perigo, pois o hemisfério direito, que é o lado realizador do nosso cérebro, ao receber a mensagem de que o resultado (insatisfatório) obtido foi por culpa dos outros, cria o seguinte diálogo interno: "Por que mudar e fazer diferente, se o resultado negativo foi culpa do outro?". Dessa maneira, a pessoa continua a repetir os mesmos erros, sem aprender com eles, "afinal, se são os outros os responsáveis por tudo isso estar assim, por que eu deveria mudar? Os outros que mudem".

- Por que mudar, se os políticos que são corruptos?
- Por que mudar, se o meu professor é que é ruim?
- Por que mudar, se o problema é minha esposa, que é crítica e reclama de tudo?

146 | PAULO VIEIRA

- Por que mudar, se o problema é a minha equipe, que é desmotivada e não corre atrás das vendas?
- Por que mudar, se o juiz é corrupto e meu time sempre perde?

Enquanto você não abolir essas justificativas intelectuais, nada vai mudar.

Tenho visto muitos vendedores chegarem de uma venda, ou melhor, de uma tentativa de venda, reclamando, criticando e culpando o cliente por não conseguirem vender e por as vendas estarem baixas, afinal os clientes só querem descontos impossíveis, prazos enormes etc. E se são os clientes os culpados, por que o vendedor deveria mudar? Por que deveria usar novas técnicas, como *rapport*, *link*, fisiologia corporal, inflexão vocal? Por que me capacitar mais, fazer novos treinamentos, se o problema e a culpa pelos meus fracassos estão nos outros? Não busque culpados. Busque solução e aliados, parceiros de uma aprendizagem eterna.

LEI Nº 4
SE É PARA SE FAZER DE VÍTIMA, FAÇA-SE DE VENCEDOR

Muitos possuem um terrível hábito de se fazerem de vítima, seja criticando e reclamando ou colocando-se em uma situação de inferioridade e sofrimento.

Por que tantas pessoas se fazem de vítima e praticam a autocomiseração? Existem várias explicações e motivos, um deles é o seguinte: crianças precisam se sentir amadas e importantes, porém, por incapacidade afetiva ou por falta de tempo dos pais, elas não obtiveram esse alimento emocional. Um dia, uma dessas crianças adoeceu, e, quando os pais perceberam que era uma doença um pouco mais grave, voltaram-se por completo para elas, com carinho, atenção, cuidado, o que, na compreensão infantil, era justamente o amor que ela tanto almejava. Passaram-se dias, ela ficou saudável e, mais uma vez, as coisas voltaram ao normal, os pais já não tinham mais aquele cuidado com ela, aquela

148 | PAULO VIEIRA

atenção, aquele carinho, e ela já não percebia mais o amor deles. E, como é normal na primeira infância, mais uma doença surgiu e todas as atenções voltaram-se para ela, carinho, atenção, cuidado, gostos e vontades, mais uma vez a criança sentiu a plenitude de ser amada e importante. A repetição desse ciclo deixou um aprendizado inconsciente na criança: "Quando sofro, fico doente, debilitada, passo a ser amada e querida, mas quando estou boa e sã, ninguém liga para mim". Então, muitos de nós crescemos, ficamos adultos, "racionais", porém aquela criança continua lá dentro querendo atenção e carinho, querendo se sentir importante e amada. E, para conquistar amor, o caminho já foi aprendido na infância, basta sofrer ou mostrar que está sofrendo que, nessa lógica, as pessoas prestarão mais atenção, cuidarão e darão mais carinho. E isso costuma até ser verdade, porém por um curto espaço de tempo. Dessa forma, esse adulto carente e infantilizado sairá em busca de se sabotar e levar a sua existência ao declínio. Mostrará a quem lhe der ouvidos que está sofrendo, que está em crise, que sua vida é muito difícil, relatará como as coisas estão complicadas em casa, as contas atrasadas, carestia e sofrimento, abandono, e assim por diante.

Se você, de fato, quer chamar a atenção, ser querido, amado e admirado, viva como um vencedor, aja como um vencedor, fale como um vencedor, que da sua boca saiam palavras de vida e construção. Ninguém consegue atenção e carinho por um longo período falando de sofrimentos e angústias, a não ser que a outra pessoa também seja acometida do mesmo mal: a autovitimização, aí serão duas pessoas debilitadas emocionalmente servindo de muleta uma à outra.

LEI Nº 5
SE É PARA JUSTIFICAR SEUS ERROS, APRENDA COM ELES

O erro é parte integrante do processo de aprendizagem. Se não houver erro, não haverá aprendizado. Muitas pessoas já debilitadas emocionalmente e acostumadas a ser criticadas, e até mesmo humilhadas, ao errar foram inconscientemente programadas para negar e fugir de seus erros, evitando, tanto quanto possível, reconhecê-los, e assim, evitando se sentir mais uma vez diminuídas e invalidadas.

Para nos livrarmos desse terrível hábito, é necessário adquirirmos uma nova crença: "Não existem erros, apenas resultados". Quem tem sucesso, traz esse pressuposto da programação neurolinguística arraigado em suas vidas, em suas atitudes. Pessoas realizadas e autorresponsáveis acreditam, de fato, que tudo de ruim que lhes acontece não são erros, muito menos fracassos, são efeitos, são resultados. E para não colher os mesmos resultados basta fazer diferente na próxima vez. Einstein dizia: "Loucura é continuar fazendo a mesma coisa e esperar resultados diferentes". Todos alcançam algum

PESSOAS REALIZADAS E AUTORRESPONSÁVEIS ACREDITAM, DE FATO, QUE *tudo de ruim que lhes acontece não são erros*, MUITO MENOS FRACASSOS, *são efeitos, são resultados.*

tipo de resultado. Se estou gordo, não preciso entender como frustrante ou fracasso, posso entender como o resultado da minha maneira de viver e de me alimentar. Se quero outro resultado, basta mudar, encontrar outra maneira de me ver, viver e me alimentar.

Se as vendas este mês foram insatisfatórias, isso não precisa ser encarado como uma derrota, pois, se assim for, você ficará debilitado, desmotivado e, provavelmente, será ainda pior no mês seguinte. Você pode encarar os resultados fracos como um aprendizado, uma maneira de como não agir em relação às vendas. Se você não prospectou, mude e prospecte novos clientes; se não usou técnicas de vendas, use-as; se sua fisiologia corporal não foi tão atraente, eleve os ombros, coloque um belo sorriso no rosto; enfim, aprenda com tudo e com todos. Mude a si mesmo na busca de novos e melhores resultados.

LEI Nº 6
SE É PARA JULGAR AS PESSOAS, JULGUE APENAS SUAS ATITUDES E COMPORTAMENTOS

Quando alguém nos ofende, a reação normal, na maioria, é se magoar e entender a ofensa como algo pessoal e direto. Quando alguém nos fecha no trânsito, o mais comum é xingar, reclamar e até mandar sinais, agressivos e obscenos, entendendo aquilo como algo proposital e pessoal, algo que o motorista imprudente fez diretamente contra nós. Essa maneira de levar a vida é muito pesada e nada produtiva. É como dar força e poder a alguém que não deveria ter força nem poder sobre sua vida. É deixar um desconhecido mandar nos seus sentimentos e emoções. O autorresponsável não julga o outro, mas sim a atitude dele. Seu diálogo interno é mais ou menos assim: "Que besteira aquela pessoa fez, podia até causar um acidente". Já alguém com um nível baixo de autorresponsabilidade diria,

O AUTORRESPONSÁVEL *não julga o outro*, MAS SIM A ATITUDE DELE.

aliás, gritaria: "Ei, seu irresponsável, está querendo me matar, seu cretino, imbecil! Comprou a carteira onde?..." E dali sairia irritado e zangado, tendo as próximas horas influenciadas negativamente por aquele que cometeu um erro por distração. Se agredir com palavras funcionasse, não teríamos mais motoristas ruins. Em vez de julgar e condenar as pessoas ao seu redor, tente julgar e compreender as atitudes delas. E assim compreender que aqueles que cometem erros no trânsito podem, talvez, ser indivíduos maravilhosos, que aqueles que nos magoam podem, um dia, ser nossos melhores aliados, que aqueles que não são tão verdadeiros conosco podem, no futuro, ser nossos protetores. E, se cada um de nós, em vez de procurar erros e falhas nos outros, procurasse em si, o mundo poderia ser muito melhor, com menos motoristas ruins, com menos ofensa e com mais verdade.

Como diz nas sagradas escrituras: "Com a mesma moeda que julgas serás julgado", ou ainda conforme outra passagem: "...só Deus pode julgar os vivos e os mortos". A nós só compete julgar as atitudes e ações. E de preferência começando por julgar as nossas próprias.

"Sábio é o homem que chega a ter consciência da sua ignorância"

Barão de Itararé

CAPÍTULO 7

COMO USAR AS LEIS DA AUTORRESPONSABILIDADE

O que falamos e como falamos são hábitos produtivos e engrandecedores, outras vezes destrutivos e limitantes. Usando a autorresponsabilidade, podemos escolher e optar pelo que nos faz bem. Com um pouco de esforço racional e disciplina, você pode começar a mudar tais hábitos, mas, para isso, aconselho que imprima as seis leis em papel e cole nos lugares que você mais frequenta, onde seja mais fácil de visualizar, como: no espelho do banheiro, no retrovisor do carro, na tela do computador, na parede do escritório. Em todos os locais de fácil acesso e que o mantenham atento às seis leis. Tenho visto centenas de pessoas mudarem de uma maneira incrível em apenas uma semana, praticando unicamente as seis leis da autorresponsabilidade. Vá lá, imprima, cole, faça bom uso e comece agora a sua transformação. Lembre-se de que tudo muda depois da sua mudança.

Uma pessoa a quem muito admiro, dona de uma madeireira, colocou as leis em cartazes espalhados pela empresa, inclusive no banheiro. E o cartaz começa com o título "Urgente", seguido pelas seis leis da autorresponsabilidade. Outros clientes transformaram em adesivos.

Caso você ainda não tenha compreendido ou concordado, repito aqui um texto que publiquei no livro *Poder e alta performance*, que traz uma característica comum nas pessoas que não possuem a crença da autorresponsabilidade. Elas optam por criticar, reclamar e se esconder atrás dos outros, estão à margem da própria vida.

OS OUTROS

...Veríssimo que me desculpe, mas atribuir tudo de ruim só ao povo é incorreto e incompleto: o povo é aquilo mesmo, talvez até mais, porém não é o único responsável por tudo estar errado. Tem os outros que não prestam. Vamos às eleições de 1989. Todos queriam Lula, mas

AS PESSOAS QUE **não possuem a crença** DA AUTORRESPONSABILIDADE, OPTAM POR CRITICAR, RECLAMAR E SE ESCONDER ATRÁS DOS OUTROS, **elas estão à margem da própria vida.**

O PODER DA AUTORRESPONSABILIDADE | 161

na hora da verdade, vêm os outros e votam em Collor. A anarquia que reina no congresso nada tem nada a ver com o povo, que não vota leis. São os outros que votam. Os outros fumam nos ônibus e elevadores e nem se preocupam com as boas maneiras ou proibições. "Os outros que obedeçam", dizem cinicamente. Quem é que não sabe votar? Quem votou nesse político que, além de corrupto, ficou impune? Quem fura as filas? Quem dirige sem cuidado, achando-se dono das ruas só porque tem carro? Quem entra na contramão? Quem buzina quando o sinal fica verde?....Quem acreditou no choro da santa? Ou na imagem da santa no vidro? Os outros e ninguém mais. Alguém já teve notícias de acidentes que não sejam provocados pelos outros? Nunca! Eu, quando viajo, nem me preocupo comigo, mas com os outros que são irresponsáveis, ultrapassam nas curvas, guiam com excesso de velocidade. Os outros, sempre os outros. Os outros são nossa desgraça! Mas quem afinal, são os outros? Devem ser entes sobrenaturais, pois nunca os outros se identificam. Todos criticamos ou nos escondemos por trás dos outros, todos projetamos nos outros os traços ruins de nossa personalidade, todos esperamos que os outros cumpram com o dever, mas ninguém diz quem são os outros...

Luciano Lira Macedo

"Nunca lhe deram oportunidade? Mas você já pensou em criá-las por si próprio?"

Napoleon Hill

tos e atitudes que geravam tais oportunidades.

Pessoas de sucesso não esperam as oportunidades aparecerem, muito menos reclamam quando não aparecem, pois sabem que estão no comando do barco de suas vidas, sabem que as coisas não acontecem simplesmente, mas são criadas consciente ou inconscientemente. Sabem que nada acontece por acaso, que a nossa atitude diante da vida trará resultados, e que tudo, absolutamente tudo, é resultado dos nossos pensamentos, sentimentos e comportamentos. O que estamos colhendo hoje é o resultado do que plantamos no passado. E, acredite, estamos plantando a todo instante. Se estou ereto e alegre, certamente estou plantando tais sementes. E com pensamentos, sentimentos e palavras positivas colherei alegrias e conquistas. Porém, se estou carrancudo e triste, com pensamentos e atitudes de desesperança, provavelmente colherei resultados pertinen-

166 | PAULO VIEIRA

tes ao meu estado atual. Se falo, colherei algo, se me calo também colherei. Se me faço presente, terei resultados, e se me ausento, também. Este livro lhe permitirá gerenciar de modo consciente todos os seus pensamentos, sentimentos e atitudes, e, dessa maneira, os resultados positivos irão simplesmente acontecer, as oportunidades aparecerão. Quando gerenciamos nosso estado presente (pensamentos, palavras, sentimentos e comportamentos), nos tornamos capazes de direcionar com grande margem de acerto nossa vida na direção desejada.

Tenho visto que a maioria das pessoas que se julgam desafortunadas e sem oportunidades está, na verdade, "cega" por suas crenças limitantes. Não percebem toda uma infinidade de possibilidades que esbarram nelas, muitas vezes de maneira escancarada. Pessoas que esperam pelas oportunidades não sabem absolutamente nada sobre dirigir ou conduzir suas vidas e, muito menos, sobre autorresponsabilidade. Para elas, viver é, na verdade, sobreviver; levam a vida como dá, "como Deus quer", sempre culpando ou esperando que os outros as ajudem ou, no mínimo, não as atrapalhem.

Como é frustrante a vida das pessoas que não são capazes de construir suas oportunidades, como são frágeis profissionalmente aqueles que se colocam à mercê do mundo, na fila de espera de uma oportunidade.

Paulo Vieira

Essas pessoas mal sabem ou preferem não saber que tais oportunidades se manifestam constante e sistematicamente. Porém, pessoas com as atitudes certas não apenas as percebem e as criam, como também as aproveitam.

Estudos cada vez mais frequentes atestam que quanto mais a pessoa se sen-

QUANDO *gerenciamos nosso estado presente* (PENSAMENTOS, PALAVRAS, SENTIMENTOS E COMPORTAMENTOS), *nos tornamos capazes de direcionar* COM GRANDE MARGEM DE ACERTO *nossa vida* NA DIREÇÃO DESEJADA.

O PODER DA AUTORRESPONSABILIDADE | 169

te responsável pela vida que tem levado, mais realizada e plena ela é. Traga a autor-responsabilidade não apenas como uma filosofia, mas como uma crença forte e arraigada em sua mente.

"Quando sou tentado a criticar, mordo a língua: quando sou levado a elogiar, grito do alto dos telhados."

Og Mandino

CAPÍTULO 9

MUDANDO MINHA EXISTÊNCIA SEM MUDAR AS PESSOAS

Pessoas pseudoautorresponsáveis acham que, para serem produtivas e prósperas, precisam mudar os outros. Entretanto, o autorresponsável se basta nas suas escolhas, nas suas decisões e na sua fé no Criador e, dessa maneira, faz bom uso do livre-arbítrio dado por Ele.

Os realmente prósperos sabem, por experiência própria, que é improdutivo e infrutífero tentar mudar os outros. Sabem que seria arrogante e prepotente sair por aí, como os sábios do mundo, querendo que as pessoas sejam diferentes. Impelindo, coagindo, persuadindo ou até mesmo impondo que sejam aquilo que eles entendem como certo.

Os autorresponsáveis sabem que, a médio e longo prazos, os resultados de tentar fazer os outros atenderem suas expectativas pode gerar situações desastrosas.

Antes de tentar mudar alguém, devo mudar a mim mesmo. Se não consigo mudar a mim, por que conseguiria mudar outras pessoas?

Tenho visto muitos pais aplicando penas severas a seus filhos por tirarem notas baixas, quando, na verdade, tais notas são reflexos diretos de pais ruins ou, pelo menos, de uma educação deficiente. Se houvesse uma avaliação para pais, certamente eles seriam reprovados de imediato, com notas muito piores que a dos próprios filhos. Um pai autorresponsável, antes de querer mudar o filho, muda a si mesmo, talvez dialogando mais, sendo mais presente, mais amoroso ou mesmo mais firme e menos permissivo. Ou, quem sabe, deixando de ser tão crítico, tão ditador, tão agressivo e sempre o dono da verdade, invalidando seu filho, fazendo-o crer que é incapaz e inadequado para a vida.

Você, gerente de vendas, executivo ou empresário, já pensou em não tentar mudar a sua equipe, mas mudar a si mesmo? Em vez de cobrar que seus funcionários

OS REALMENTE PRÓSPEROS SABEM, POR EXPERIÊNCIA PRÓPRIA, QUE É *improdutivo e infrutífero tentar mudar os outros.*

se capacitem, você poderia e deveria se capacitar. Em vez de querer que eles sejam os melhores vendedores, você deveria ser o melhor gerente ou líder. Antes de querer que eles sejam objetivos e focados em resultados, deveria implantar ferramentas gerenciais de vendas, que dessem foco e direcionamento, não para eles, mas para você, como o responsável maior pelos resultados.

Quantos de nós gostaríamos de mudar a cabeça e o caráter dos políticos, que, além de corruptos, muitas vezes são administrativamente incompetentes? Entretanto, por debilidade emocional, não olhamos para nós mesmos e, por isso, não percebemos que tais políticos não são em nada diferentes da maior parte da população, ou seja, de nós. Já vi inúmeras pessoas criticarem a incompetência dos políticos enquanto, em suas casas, as finanças pessoais estão totalmente desorganizadas e mal administradas. Outras se apropriam do que não lhes pertence, seja aceitando um troco dado a mais, que não era devido, ou achando uma carteira com dinheiro, ficando com o que é de valor e sentindo-se um bom samaritano por devolver os documentos.

Certa vez, presenciei uma vendedora que viu quando uma cliente deixou cair sua caneta Montblanc e esperou que ela fosse embora para se apropriar do belo e caro objeto. Depois, contou aos colegas (também corruptos) como se aquilo fosse uma grande vantagem: "A granfina deu bobeira e o que é achado não é roubado", disse ela. A meu ver, esse tipo de pessoa é tão desonesta quanto qualquer político corrupto. A diferença é onde elas estão e até onde suas mãos têm poder de alcance.

Seja diferente! Antes de exigir dos outros, mude a si mesmo, transforme sua forma de pensar, de sentir, e tudo será diferente. Tudo se adequará de modo coerente com a nova pessoa que surge: você!

ANTES DE EXIGIR
DOS OUTROS,
mude a si mesmo,
TRANSFORME SUA
FORMA DE PENSAR,
DE SENTIR, E
tudo será diferente.

178 | PAULO VIEIRA

"O que disser ao ímpio: justo é, os povos
o amaldiçoarão, as nações o detestarão.
Mas para os que o repreenderem haverá
delícias, sobre eles virão a bênção do bem."

Provérbios 24: 24-25

MENSAGEM FINAL

CONFRONTANDO A SI E AOS OUTROS COM A VERDADE

Jesus é minha grande inspiração, o maior de todos os líderes, o maior de todos os empreendedores, o mestre dos mestres. Ele de fato era completamente autorresponsável, não criticava, não reclamava, não buscava culpados, não se fazia de vítima, de modo algum julgava os outros; entretanto, Ele confrontava as pessoas e as situações com a verdade, era genuíno. Não fugia, nem se calava diante da mentira. Não se privou de expulsar os vendilhões do templo, não se calou diante dos hipócritas fugindo da ira vindoura, nem diante de seus discípulos quando, ao invés de orar e vigiar, foram dormir.

O mesmo serve para nós, que buscamos a autorresponsabilidade. Devemos nos alegrar com a verdade, mesmo que ela doa em alguém, mesmo que doa em nós mesmos. O autorresponsável sabe a importância da verdade ao elogiar um bom comportamento ou resultado, como também ao confrontar alguém com atitude

O AUTORRESPONSÁVEL SABE *a importância da verdade* AO ELOGIAR UM BOM COMPORTAMENTO OU RESULTADO, COMO TAMBÉM AO CONFRONTAR ALGUÉM COM ATITUDE INADEQUADA.

inadequada. Entretanto, devemos estar atentos, afinal não somos, nem de longe, como Jesus Cristo em sabedoria e santidade. Por isso, muito cuidado e discernimento ao confrontar alguém. E, sobretudo, antes de confrontar quem quer que seja, você deve ser um perito em confrontar a si mesmo com a verdade.

Lembre-se: fuja da crítica, mas abrace a sugestão; não busque culpados, mas a solução; não justifique seus erros, mas aprenda com eles; por fim, com amor, julgue as atitudes das pessoas, mas não julgue quem as realizou (elas deram o melhor que podiam, nas condições em que estavam) – antes disso, porém, pense no que você pode fazer para contribuir.

E, então, o que vai fazer?

EXERCÍCIO FINAL

TERMO DE COMPROMISSO

Para que possa avançar em direção aos seus objetivos, peço que, nas linhas a seguir, escreva um termo de compromisso, no qual você se comprometerá a ser uma pessoa autorresponsável e a usar, no seu dia a dia, as seis leis da autorresponsabilidade.

Depois de escrevê-la, você deve memorizar sua declaração e verbalizá-la ao acordar, em voz alta, por trinta dias seguidos.

TERMO DE COMPROMISSO

Eu, _____

_____,

declaro para todos os fins ligados ao meu sucesso e felicidade, que me comprometo a ser autorresponsável com as seguintes características:

_____

_____

_____

_____

_____

_____

O PODER DA AUTORRESPONSABILIDADE | 185

Para isso, usarei fielmente as seis leis da autorresponsabilidade, que são:

- Lei Nº 1: _____
- Lei Nº 2: _____
- Lei Nº 3: _____
- Lei Nº 4: _____
- Lei Nº 5: _____
- Lei Nº 6: _____

Dessa maneira, colherei grandes resultados e mudanças na minha vida profissional e pessoal.

Assinatura: _____

Data: _____ / _____ / _____

O PODER DA AUTORRESPONSABILIDADE | 187

Parabéns, você venceu uma importante etapa em direção às suas mudanças e conquistas. Certamente, aprofundou o conceito de autorresponsabilidade e o transformou em uma crença.

A partir de agora é questão de tempo para os resultados aparecerem. Pense, fale, sinta e se comporte com autorresponsabilidade, e as suas mudanças começarão imediatamente.

Que Deus continue abençoando e abrindo as portas para o seu crescimento e suas conquistas.

Um grande abraço, paz e sucesso.

Paulo Vieira

LEIA TAMBÉM

O PODER DA AÇÃO
*Faça sua vida ideal
sair do papel*

CRIAÇÃO DE RIQUEZA
*Uma metodologia simples e poderosa
que vai enriquecê-lo e fazer você atingir seus objetivos*

FOCO NA PRÁTICA
O programa de 2 meses para se manter focado em seus objetivos e atingir o sucesso em todas as áreas da sua vida

PODER E ALTA PERFORMANCE
O manual prático para reprogramar seus hábitos e promover mudanças profundas em sua vida

DECIFRE E INFLUENCIE PESSOAS
Paulo Vieira e Deibson Silva

Como conhecer a si e aos outros, gerar conexões poderosas e obter resultados extraordinários.

O PODER DA AÇÃO PARA CRIANÇAS
Turma da Mônica e Paulo Vieira se reúnem no Bairro do Limoeiro para ensinar pais, mães e crianças sobre autorresponsabilidade!

Este livro foi impresso pela
Edições Loyola em papel
lux cream 70g/m² em
abril de 2025.